CYFRES Y CEWRI

1. DAFYDD IWAN
2. *AROGLAU GWAIR*, W. H. ROBERTS
3. ALUN WILLIAMS
4. *BYWYD CYMRO*, GWYNFOR EVANS
5. WIL SAM
6. *NEB*, R. S. THOMAS
7. *AR DRAWS AC AR HYD*, JOHN GWILYM JONES
8. *OS HOFFECH WYBOD*, DIC JONES
9. *CAE MARGED*, LYN EBENEZER
10. *O DDIFRI*, DAFYDD WIGLEY (Cyfrol 1)
    DAL ATI, DAFYDD WIGLEY (Cyfrol 2)
    Y MAEN I'R WAL, DAFYDD WIGLEY (Cyfrol 3)
11. *O GROTH Y DDAEAR*, GERAINT BOWEN
12. *ODDEUTU'R TÂN*, O. M. ROBERTS
13. *ANTURIAF YMLAEN*, R. GWYNN DAVIES
14. *GLAW AR ROSYN AWST*, ALAN LLWYD
15. *DIC TŶ CAPEL*, RICHARD JONES
16. *HOGYN O SLING*, JOHN OGWEN
17. *FI DAI SY' 'MA*, DAI JONES
18. *BAGLU 'MLAEN*, PAUL FLYNN
19. *JONSI*, EIFION JONES
20. *C'MON REFF*, GWYN PIERCE OWEN
21. *COFIO'N ÔL*, GRUFFUDD PARRY
22. *Y STORI TU ÔL I'R GÂN*, ARWEL JONES
23. *CNONYN AFLONYDD*, ANGHARAD TOMOS
24. *DWI'N DEUD DIM, DEUD YDW I...*
    STEWART WHYTE McEWAN JONES
25. *MEICAL DDRWG O DWLL Y MWG*, MICI PLWM
26. *THELERI THŴP*, DEWI PWS MORRIS
27. *CRYCH DROS DRO*, GWILYM OWEN
28. *Y DYN 'I HUN*, HYWEL GWYNFRYN
29. *AR LWYFAN AMSER*, J. O. ROBERTS
30. *BYWYD BACH*, GWYN THOMAS
31. *Y CRWT O'R WAUN*, GARETH EDWARDS
32. *HYD YN HYN*, GILLIAN ELISA
33. *SULWYN*, SULWYN THOMAS
34. SIÂN JAMES
35. *TANNAU TYNION*, ELINOR BENNETT WIGLEY
36. *HANAS GWANAS*, BETHAN GWANAS
37. *LEAH*, LEAH OWEN

CYFRES Y CEWRI 37

Leah

Leah Owen

Gwasg
Gwynedd

Argraffiad cyntaf — Gorffennaf 2013

ISBN 978 0 86074 289 0

Mae'r cyhoeddwyr yn cydnabod cefnogaeth ariannol
Cyngor Llyfrau Cymru.

Cyhoeddwyd gan
Wasg Gwynedd, Pwllheli

I

EIFION AM EI GARIAD

AC I ANGHARAD, ELYSTEG, YNYR A RHYS

AM FLYNYDDOEDD O HAPUSRWYDD

Cynnwys

Rhosmeirch 9
Hwyl a helynt 19
Cerddoriaeth a chefnogaeth 25
Dechrau crwydro 34
Ysgol Gyfun Llangefni 38
Gwersi a chystadlu 45
Chwarae tennis, gitâr a phiano 52
Ar y Cyfandir 61
Prifysgol Bangor 67
Y rebel fach 74
Canlyn go iawn! 83
Dysgu a phriodi 91
Canu a hyfforddi 101
Dechrau teulu 114
Gwaeledd a galar 123
Prysurdeb Dyffryn Clwyd 130
Gwefr a gwewyr 140
Prion 145
Ysgol Twm o'r Nant a Chicago 150
Ambell gyfrol a cherdd 158
Y milflwydd newydd 168
Chwaneg o bartïon 180
Patagonia 188
Yn ôl at y teulu 200

Rhosmeirch

Hogan tŷ cownsil ydw i, a wna i byth anghofio hynny.

Mi landis yn yr hen fyd 'ma ar y trydydd ar ddeg o Hydref 1953, yn pwyso dim ond 5 pwys 12 owns. Galwyd fi'n Leah Owen ar ôl fy nain – Nain Penboncan, Hermon, mam fy nhad.

Mi ges i a Richard, fy mrawd, fagwraeth a chartre cariadus yn 9 Tai Clwch, Rhosmeirch. Pentre bach rhyw filltir o Langefni, reit yng nghanol Sir Fôn, ydi Rhosmeirch. Roedd ganddon ni enw ar ein tŷ cownsil ni – Trem Arfon; mi fedrech weld mynyddoedd Arfon yn eu holl ogoniant o ffenest y llofft. Tŷ tair llofft, cegin fyw, 'back kitchen', stafell molchi a thŷ bach allan yn yr ardd oedd o, tan i ni fynd yn posh yn ddiweddarach a chael toiled yn y tŷ.

Un lle tân oedd ganddon ni i gynhesu'r tŷ cyfan, a phawb yn swatio o'i amgylch yn y gaea. Roedd y llofftydd yn sobor o oer, ac mi fyddai Mam yn rhoi hen gôt Crosville Dad ar ben y toman plancedi i'm cadw i'n gynnes. Prin y gallwn symud yn y gwely trwy'r nos efo'r holl bwysau ar fy nghefn.

Rhyw hanner cylch o ddeg tŷ oedd, ac ydi, Tai Clwch, efo pwmp dŵr yn ganolbwynt ac yn fan cyfarfod. Wrth yr hen bwmp y bydden ni, blant, yn chwarae 'Bloc wan-tw-thri', 'Ala bala bwnsia, hŵs got ddy bôl?', Cowbois ac Indians, marblis a sgipio, ac yn gwneud campau efo dwy bêl gan adrodd ribidirês o benillion Saesneg nad o'n i'n eu deall! Mi fydden ni'n byw ac yn bod yn nhai ein gilydd, a phawb yn gymdogol ac yn helpu'r naill a'r llall ar adeg ddigon tlawd.

Dowch i mi'ch cyflwyno chi i drigolion Tai Clwch: Eunice, chwaer Mam, a Twm ei gŵr oedd yn byw yn rhif 1; Jinw, Dic a'u tri o blant yn rhif 2; Mari, fy nghneithar, a'i gŵr Alun a'u dau o blant yn rhif 3; Mr a Mrs McKeveney a'u tri o hogia yn rhif 4; hen wraig o'r enw Mrs Thomas (y bydden ni'n ei galw'n 'Panda', am ryw reswm) yn rhif 5; John Jôs a Nan John Jôs a'u pump o blant yn rhif 6; Mr a Mrs William Huw Thomas a'u hŵyr yn rhif 7; Anti Lyn ac Yncl Meic (ddim yn perthyn o gwbl) yn rhif 8; ninna yn rhif 9, ac Anti Dolly ac Yncl Gwil (ddim yn perthyn, eto) a'u merch yn rhif 10.

Mi fyddwn yn byw ac yn bod yn nhŷ Nan John Jôs, achos ro'n i'n cael chwarae efo Ionwen oedd chwe blynedd yn hŷn na fi. Mi fydden ni'n cael neidio ar y gwely, gwneud llanast a bwyta'r deisan gyraints ora rioed. Roedd Nan yn giamstar ar wneud teisennau cyraints.

Roedd 'na fwy o hogia nag o genod yn byw yn y pentre, ac felly mi fyddwn yn chwarae efo'r hogia'n reit aml – gêm griced wrth y pwmp, a sgorio pan fyddech chi'n taro'r bêl i'r gerddi o gwmpas. Os byddai'r bêl yn cyrraedd gardd Yncl Gwil ac Anti Dolly, yna mi fydden ni'n cael chwe *run*. Gardd Anti Lyn oedd yr un agosa at y pwmp, felly dwy *run* gaen ni am daro'r bêl yno. Doedd Anti Lyn ddim yn ddynes hapus iawn gan mai yn ei gardd hi y byddai'r bêl yn glanio amla, a thorrwyd sawl ffenest dros y blynyddoedd.

Weithiau mi fydden ni'n cael y gêm bêl-droed ryfedda – gêm gydag un gôl wrth Rhos Lan a'r gôl arall ym mhen arall y pentre, ryw hanner milltir i ffwrdd, wrth Pen Bryn. Byddai llond y lôn ohonon ni, yn genod a hogia, yn trio cael y bêl i'r goliau rhwng y polion telegraff. Anaml iawn y byddai 'na gar yn dod i amharu ar yr hwyl. Fasa gêm o'r fath ddim yn bosib heddiw, wrth gwrs, efo'r holl drafnidiaeth sy'n gyrru'n wyllt trwy'r pentre.

Yr unig beth fyddai'n amharu ar ein chwarae fyddai gweld Washi Bach yn dod ar hyd y lôn. Hen drempyn barfog a wisgai ddwy dop côt Hôm Giard oedd Washi Bach. Roeddan ni ei ofn o am ein bywydau, a phawb yn sgrialu am adra gan weiddi 'Mae Washi bach yn dod!' Doedd dim pall ar ei fegera, ac roedd yn ddyn haerllug ac anniolchgar. Os câi frechdan fenyn yn hytrach na brechdan jam, neu frechdan wedi sychu tipyn, byddai'n ei thaflu ar lawr a rhegi dan ei wynt. Disgrifiodd y bardd Richard Jones o i'r dim yn yr englyn yma o'i waith:

O'i gopa i'w odra'n grwydryn – mewn cotiau
   Yn haenau fel nionyn;
   Byw'n ddi-rent, bwgan plentyn,
   Yn destun gwawd, tlawd di-lun.

Bob nos Fercher mi fyddai 'na gynnwrf mawr wrth ddisgwyl am y fan hufen iâ, a ninna'r plant i gyd yn nhop lôn efo'n ceiniogau prin yn disgwyl am y wledd wythnosol. Nid fan hufen iâ fel sydd o gwmpas heddiw oedd hi, ond hen ambiwlans wedi'i haddasu i'r pwrpas. Hwn oedd yr hufen iâ gora yn y byd i gyd; roedd o mor flasus ac mor felyn ei liw. Roedd rhai o'r hogia'n dweud ei fod o'n felyn am fod y dyn oedd yn ei werthu'n pi-pi ynddo fo, ond doedd hynny'n amharu dim arnon ni ac mi ydw i'n dal i ddweud mai hwnnw oedd yr hufen iâ gora i mi ei gael erioed.

Teulu bach ni

Mi'ch cyflwyna i chi rŵan i'n teulu bach ni yn rhif 9, Tai Clwch.

William Edward Owen oedd enw Nhad, ac fe'i magwyd ym Mhenboncan, Hermon, ger Bodorgan. Roedd o'n ŵr gwybodus, a dwi'n sicr y gallai fod wedi mynd yn ei flaen ym myd addysg tasa fo wedi cael y cyfle. Roedd ei ddiddordebau'n eang ac mi fyddai wrth ei fodd yn gwrando ar gerddoriaeth glasurol, ac yn aml yn eistedd yn hwyr y nos yn gwrando ar yr hen gramaffôn. Strauss oedd y ffefryn bob tro. Mi fasa wedi bod wrth ei fodd, hefyd, yn cael bod yn ffarmwr, ac am gyfnod bu'n rhentu mymryn o dir er mwyn cadw bustych.

Oherwydd tlodi'r cyfnod bu raid i Dad adael yr ysgol yn ifanc, ac ar ôl gweithio am ychydig mewn siop groser ym Modorgan aeth i weithio gyda chwmni Crosville – fel condyctor i gychwyn ac yna fel dreifar bỳs, a chael £1 2s 6d am weithio pedwar deg wyth o oriau. Roedd o'n gyfnod anodd iddo fo gan nad oedd trafnidiaeth i'w gludo o Hermon i Langefni, ac ambell dro byddai gofyn iddo gerdded i'w waith am chwech y bore. Dro arall byddai'n gweithio tan hanner nos, cyn cerdded yr wyth milltir tuag adra.

Ymhen amser, cafodd le i aros yn Llangefni am swllt y noson efo hen wraig oedrannus. Yn aml byddai'r hen wraig yn paratoi bwyd iddo fo ond roedd blas paraffîn ar bopeth. Roedd y graduras yn cael trafferth efo'i stof ac yn colli olew a pharaffîn am ben ei dwylo, a hwnnw wedyn yn mynd ar y bwyd. Wedi hel tipyn o arian, prynodd Dad feic ac aeth yn ei ôl adra i fyw efo'i rieni.

Gŵr tal oedd o, efo gwallt tonnog du, ac mi fyddwn wrth fy modd yn eistedd ar ei lin yn cribo'i wallt. Roedd o'n ŵr annwyl iawn, un agos iawn i'w le a byth air drwg i'w ddweud am neb. Mi fyddwn yn fy siomi fy hun os byddai raid i Dad ddweud y drefn wrtha i, ac ar yr adegau hynny mi fyddwn yn rhedeg at y soffa ac yn claddu mhen dan y glustog am hydoedd.

Roedd o'n un da am arddio, ac yn arbenigo ar dyfu blodau er mwyn cystadlu efo nhw mewn sioeau bach a mawr. Byddai'n cystadlu ambell dro hefyd efo'i lysiau a'i ffrwythau, yn arbennig y nionod mawr a'r tomatos. Roedd ein gardd ni wastad yn llawn blodau, a digon o lysiau yno ar ein cyfer. Mi fydden ni fel teulu'n mynd i sawl sioe, ac fe drefnai Dad dripiau bỳs i'r Amwythig yn flynyddol i'r Sioe Flodau fawr yno.

Pan o'n i'n fach, mi fyddai Mam yn aml iawn yn fy rhoi ar y bỳs efo Dad, a fanno byddwn i drwy'r dydd yn ystod y gwyliau yn crwydro rownd Sir Fôn yn sedd flaen y bỳs, yn gwrando ar sgyrsiau pobol a chael rhyw geiniog neu ddwy gan ambell un am fod yn hogan dda. Pan fyddai 'na ddim llawer o deithwyr ar y bỳs, byddai Dad yn adrodd straeon wrtha i am yr hen ddyddiau – fel yr adegau pan oedd raid i bobol fynd i lawr oddi ar y bỳs a cherdded dros bont Menai oherwydd bod gwaharddiad ar unrhyw beth oedd yn pwyso dros bedair tunnell a chwarter rhag croesi'r bont, a'r bỳs yn aros amdanyn nhw wedyn yr ochor draw. Dro arall, dwi'n ei gofio fo'n sôn am hen ŵr yn cario sach ar y bỳs. Wyddai Dad ddim be oedd yn y sach nes clywodd o sgrechfeydd yn ystod y daith, a gweld sawl merch ifanc yn sefyll ar ben y seti, wedi cael braw. Roedd dau fochyn bach wedi llwyddo i ddianc o'r sach ac yn rhedeg yn wyllt o sêt i sêt.

Roedd Dad hefyd yn hynod garedig efo'r henoed. Mi wyddai'n union pwy oedd yn byw ym mhob tŷ ar bob taith o gwmpas y sir, a phryd y bydden nhw am ddod ar y bỳs er mwyn mynd i Langefni i siopa. Os nad oeddan nhw'n ei ddisgwyl yn giât y lôn, byddai'n curo drysau pobol i ddweud bod y bỳs yno. Yn aml iawn, hefyd, mi fyddai'n gwneud rhyw gymwynas fel rholio'r mat o flaen y tân iddyn nhw, neu nôl glo mewn bwced o'r cwt.

Tydi petha wedi newid, dwch!

Mewn tyddyn bach o'r enw Parc yn Rhosmeirch y magwyd Mam. Fel Dad, roedd hitha'r fenga o saith o blant. Elizabeth Ann Williams ydi'i henw ar ei thystysgrif geni ond Bet fuodd hi i bawb erioed. Hi fyddai'n cadw'r tŷ ac yn gofalu am y pwrs – nid bod 'na fawr i'w roi ynddo fo, gan mai cyflog bach iawn oedd cyflog dreifar bỳs yr adeg honno.

Mi fasa Mam, hitha, wedi gallu mynd yn bell petai hi wedi aros yn yr ysgol. Roedd hi'n un dda am Fathemateg, ond mynnu gadael yr ysgol wnaeth hi am fod y prifathro ar y pryd yn gwrthod gadael iddi ddilyn cwrs teipio – roedd o am iddi ddal ati efo pynciau eraill. Mi bwdodd yr hen Bet a 'madael i fynd i weithio mewn siop ddillad yn Llangefni. Ar ôl hynny, a hithau'n adeg rhyfel a Mam bellach yn canlyn efo Dad, aeth i weithio i gwmni Crosville fel condyctor.

Hogan ei milltir sgwâr fuo hi rioed, a fasa hi byth bythoedd yn symud i fyw i unlle arall yn y byd. Yno y cafodd Dad afael arni, fel mae'r englyn hwn gan Eifion, fy ngŵr, i ddathlu pen-blwydd eu priodas yn ei ddweud:

> O Benboncan, fe ganfu – yn y Parc
> wyneb pert, a rhannu
> eu hynys ar fysys fu:
> a dau gariad i'w gyrru.

Mae Richard, fy mrawd, chwe blynedd yn hŷn na fi. Rydan ni'n dau yn debyg o ran ein hoffter o chwaraeon, ond dim ond y fi gafodd ddawn gerddorol. Fedrai Richard ddim canu nodyn mewn tiwn, a phan oedd yn yr ysgol uwchradd roedd o'n casáu gorfod mynd i'w wersi piano. Roedd y rheiny'n digwydd yn syth ar ôl yr ysgol ac felly roedd o'n gorfod mynd â'i fag miwsig efo fo yn y bore. Doedd hyn ddim yn beth da o gwbwl yn ei olwg o, felly arferai guddio'r bag y tu ôl i hen beiriant gwerthu llefrith ar stryd Llangefni tra byddai yn yr ysgol, a'i nôl wedyn yn slei bach cyn mynd i'w wers biano. Wnaeth y gwersi ddim para'n hir gan mai gwastraff amser ac arian oedd y cyfan.

Mathemategydd oedd, ac ydi, fy mrawd – ac roedd o hefyd yn wych gyda chwaraeon o bob math.

Ysgol Rhosmeirch

Roedd 'na ysgol yn Rhosmeirch yr adeg honno, a fanno ces i fy addysg nes o'n i'n saith oed. Mae'n drist dweud bod yr ysgol wedi'i chau erbyn hyn, er i Nhad ymladd yn chwyrn i'w chadw ar agor. Ysgol Babanod oedd hi pan o'n i yno; ar ôl cyrraedd saith oed roedd yn rhaid inni symud i'r 'Ysgol British' yn Llangefni.

Dim ond un ystafell oedd yn Ysgol Rhosmeirch a rhyw bwt o gegin fach yn sownd ynddi. Dwsin i bymtheg o blant oedd yno, a Miss Alwena Jones yn rhoi addysg hollol Gymreig a Chymraeg i ni.

Roedd 'na glamp o fwrdd natur ar draws canol yr ystafell, a hwnnw'n orlawn o flodau gwyllt, nythod, mes, dail, moch coed a phenbyliaid. Yna tair rhes o ddesgiau, bwrdd du a stof dân efo ffendar uchel o'i chwmpas. Wrth y stof y bydden ni'n cnesu'n traed ar ddyddiau oer yn y gaea, a fanno y

15

byddai'r poteli llefrith bach yn cael eu rhoi i ddadmer. Hoffes i rioed lefrith! Dim ond ffunan bocad o iard oedd ganddon ni i chwarae amser egwyl – a'r toiledau ar gwr yr iard, wrth gwrs.

Fy ffrind gora oedd Ann Glan 'Rafon: hogan annwyl a thlws iawn, a byth air drwg i'w ddweud am neb. Ann oedd yr unig hogan arall yr un oed â fi yn yr ysgol, ac mi rydan ni'n dal i gadw cysylltiad ar ôl yr holl flynyddoedd.

Y cof penna sy gen i am Ysgol Rhosmeirch ydi cael stori Pinocio gan Miss Jones bob pnawn Gwener – stori oedd yn cael ei hymestyn o wythnos i wythnos, gan ein gadael ag awch am gael clywed y rhan nesa bob tro. Ond dwi'n cofio hefyd ymweliad brawychus 'Y Nyrs Fawr': cloben o ddynes dal wedi'i gwisgo mewn nefi-blw o'i choryn i'w sawdl, yn drewi o ogla meths, fyddai'n dod i roi pigiad i ni neu i archwilio'n gwalltiau am chwain.

Unwaith yr wythnos roedd cael bod yn rhan o'r band taro'n rhoi boddhad mawr i mi. 'Gwŷr Harlech' fyddai Miss Jones yn ei chwarae ar y piano bob tro, a ninna'n eistedd fesul dau a dwy tu ôl i'n gilydd yn dolbio'r offerynnau tila fel cyfeiliant iddi. Y dyrchafiad mwya fyddai cael chwarae'r drwm yn y rhes gefn.

Dwi'n cofio Miss Mari Wyn Meredydd, wedyn, yn ei dillad brethyn a'i het gadach, yn ymweld â'r ysgol fel trefnydd ac arolygydd ysgolion i sicrhau bod safon ein hiaith yn ddigonol, ond doedd dim angen poeni am hynny o gwbl gan fod ein hiaith ni, blant Rhosmeirch, yn hollol ddiogel a heb unrhyw fygythiad iddi.

Yn ystod ein cyfnod ni yn yr ysgol mi briododd Miss Alwena Jones efo'r gweinidog, y Parchedig R. M. Thomas, a chafodd plant yr ysgol fynd i'r briodas yng nghapel

Rhosmeirch. Mi fydda i'n dal i fynd i weld Mrs Thomas ym Mhorth Amlwch bob Nadolig, ac mae'n braf cael hel atgofion efo hi. Dim ond unwaith rydw i'n ei chofio hi'n gwylltio. Roedd un o'r hogia ar ei ffordd i'r ysgol wedi dwyn staes rhyw hen wraig oddi ar ei lein ddillad, a'i rhoi dros arwydd ger yr ysgol. Roedd pawb yn meddwl bod y cyfan yn ddigri iawn ond welodd Mrs Thomas mo'r ochor ddoniol o gwbl, ac mi fu raid i ni aros i mewn trwy'r wythnos nes i'r dihiryn gyfaddef.

Welis inna mo'r ochor ddoniol chwaith pan benderfynodd yr hogia, wrth inni gerdded adra o'r ysgol un diwrnod, y bydden nhw'n cael cystadleuaeth i weld pwy fyddai'n gallu gwneud y bont ucha wrth bi-pi! Dyna lle roeddan nhw yn un rhes, yn anelu'n uchel ac yn gwlychu pawb. Yr hen dacla afiach!

Mae'n debyg mai efo'r ysgol y gwnes i ryw fath o berfformio gynta rioed o flaen cynulleidfa, a hynny yn y capel. Dwi'n ein cofio ni'n gwneud gwasanaeth dydd Gŵyl Dewi, a ninna'r plant yn codi llythyren a dweud fesul un: 'D sydd am Dewi ein nawddsant, E sydd am efengyl,' ac yn y blaen. 'T' oedd fy llythyren i, reit ar ddiwedd y rhes, ac ro'n i braidd yn nerfus ac yn gweld fy nhro i'n hir yn cyrraedd, ac wedi mynd i ddechrau dawnsio a gogrwn yn y sêt fawr. Bu'n rhaid i Mam ddod ymlaen i fy nôl i i fynd â fi i'r tŷ bach – dim ond jyst mewn pryd! Erbyn i mi ddod yn ôl ro'n i wedi colli nghyfle i ddweud fy mhwt ac roeddan nhw ar ganol canu, felly 'Dewi San' fu'r nawddsant y diwrnod hwnnw.

Roedd Mam yn warchodol iawn ohona i – yn *rhy* warchodol ar adegau. Roedd Miss Jones wedi cyhoeddi bod trip yr ysgol yn mynd i Gonwy, a finna'n rhedeg adra i ofyn a gawn i fynd. 'Na chei, wir', oedd ateb Mam yn syth, 'ti'n rhy ifanc.' Wel, sôn am siom – pawb arall yn cael mynd a finna ddim. Fore'r trip ro'n i'n sefyll ar garreg y drws a mhen yn fy mhlu wrth weld gweddill y plant yng ngheg y lôn yn disgwyl yn eiddgar am y bỳs – pawb yn chwerthin lond bol, a'r cyffro i'w deimlo yn eu lleisiau. Mi ddefnyddis fy llais swnian gora ac erfyn ar Mam i adael i mi fynd. Erbyn i'r bỳs gyrraedd ro'n i wedi llwyddo, ond doedd dim amser i baratoi. Gwaeddodd Twm John Jôs o ddrws y bỳs y baswn i'n cael rhannu ei becyn bwyd o – siawns go dda am deisan gyraints, felly – ac i ffwrdd â fi gan adael Mam yn edrych yn bryderus ar ochor y lôn.

Ew, mi wnes i fwynhau'r trip hwnnw, er gwaetha'r golwg oedd arna i'n dod adra – fy ffrog yn fudur a ngwyneb i'n un slemp o fwyd a thywod a baw Conwy.

Hwyl a helynt

Y capel a'r Gymanfa

Roedd 'na batrwm rheolaidd i'r Sul yn tŷ ni. Gan fod Dad yn ysgrifennydd ac yn flaenor yng Nghapel Ebenezer, Rhosmeirch (y capel Annibynwyr cynta i'w sefydlu ym Môn, gyda llaw), roedd yn rhaid mynd yno deirgwaith bob Sul. Y boen fawr oedd gorfod gwisgo dillad gora yn y bore, eu tynnu amser cinio rhag ofn eu baeddu, eu gwisgo eto i fynd i'r ysgol Sul ac yna'u tynnu i gael te, wedyn eu gwisgo eto fyth i fynd i'r oedfa nos am chwech yr hwyr.

Yn aml iawn, cyfarfod gweddi fyddai 'na yn yr hwyr, a Dad yn cymryd rhan yn gyson. Mi fyddwn yn rhyfeddu wrth ei weld o'n penlinio i weddïo yn y sêt fawr – gweddïo o'r frest bob amser. Un arall fyddai'n cymryd rhan fyddai brawd Mam, Yncl Gut. Roedd yntau'n un da am weddïo, ac yn aml byddai pobol yn eu dagrau'n gwrando arno fo.

Doedd fiw i ni fynd allan i chwarae rhwng y gwasanaethau. Yn sicr, y peth gorau am y diwrnod i mi fyddai cinio Sul Mam, a'r te dros ffordd i'n tŷ ni efo Eunice, chwaer Mam, a Twm ei gŵr. Wnaethon ni rioed eu galw nhw'n Anti ac Yncl, am ryw reswm. Mi fyddai'r bwrdd te'n orlawn o deisennau: rhai sbwnj, teisen afal neu riwbob, lemon myráng, sgons a jeli fflyff (jeli wedi'i gymysgu efo Carnation Milk). Does ryfedd mod i'n hoff o bethau melys hyd y dydd heddiw.

Fe gollodd Eunice ddwy ferch ar eu genedigaeth, ac roedd

19

hi fwy neu lai wedi mabwysiadu Richard a finna. Roeddan ni'n cael ein difetha'n racs yno. Mi soniodd Mam droeon sut y byddai Eunice yn mynd efo hi i'r clinic pan oedd Richard yn fach, ac yn tueddu i gymryd rôl mam. Eunice hefyd fyddai'n dewis y dillad i'w prynu inni, ac yn mynnu'r gora i ni bob amser. Roedd 'na reswm arall pam y byddai mrawd a finna wrth ein boddau'n cael mynd i'w tŷ nhw. Doedd ganddon ni ddim teledu ond mi oedd gan Eunice a Twm glamp o un fawr. Yno y bydden ni'n gwylio'r *London Palladium* bob nos Sul, ac yn rhyfeddu at y canu, y dawnsio a'r gwisgoedd lliwgar.

Ro'n i'n teimlo'i fod o'n annheg mai dim ond y fi fyddai'n gorfod mynd i'r capel efo Dad a Mam ar nos Sul. Byddai Richard, heb yn wybod i'm rhieni, yn mynd efo Twm i Tŷ Newydd, cartre un o'r blaenoriaid – cartre Ieuan Wyn Jones erbyn hyn, gyda llaw – i ddwyn eirin, am eu bod yn gwybod na fyddai neb adra yn ystod yr awr weddi honno.

Byddai raid eistedd rhyw arholiad yn y capel a dysgu llwyth o adnodau a phenillion cyn y Gymanfa Blant. Mi fydden ni wedyn yn cael marciau, ac os oeddan ni wedi gwneud yn ddigon da, byddai llyfr yn cael ei gyflwyno inni yn y Gymanfa. Roedd honno'n symud o gapel i gapel – weithiau ym Modffordd, weithiau yn Hermon neu Langefni, dro arall ar hôm grownd. Ac, wrth gwrs, roedd yn rhaid cael dillad newydd ar gyfer yr achlysur pwysig: ffrog, sanau, sgidiau a het!

Roedd 'na drefn i bopeth yn y Gymanfa – canu emynau, eitem o bob capel, sgwrs i ni'r plant gan ryw flaenor nad oedd ganddo fo syniad sut i siarad efo plant, ac yna'r awr fawr pan fyddai Mr Gwynfryn Evans (tad Hywel Gwynfryn) yn cyflwyno'r llyfrau am y marciau ucha. Mi fyddai wyneb

Mam yn bictiwr os byddai Richard a finna wedi gwneud yn ddigon da i gael llyfr. Ond uchafbwynt y diwrnod i mi, yn ddi-os, fyddai'r bwyd: y te yn y festri ar ôl cyfarfod y pnawn. Doedd gwledd Belsassar ddim ynddi!

Mi fyddai 'na fath arall o gymanfa yr adeg honno hefyd, sef y Gymanfa Ganu. Do'n i ddim yn or-hoff o hon o gwbl. Yn aml iawn, byddai Dad a Mam yn fy llusgo i un o'r rhain, a hynny ar ôl bod yn y capel dair gwaith. Wrth gwrs, doedd Richard ddim yn gorfod dod am ei fod o'n canu allan o diwn! Un fyddai'n arweinyddes boblogaidd yng nghymanfaoedd Môn yr adeg honno oedd Miss Olwen Lewis. Roedd hi'n hoff o 'bigo' ar blant yn y gynulleidfa, a gofyn iddyn nhw ganu pennill ar eu pennau eu hunain. Wedi i mi gyrraedd tua'r naw oed 'ma, byddai Miss Lewis bob tro'n gofyn i mi ganu pennill yn y Gymanfa Ganu, er i mi drio suddo yn fy sêt neu guddio tu ôl i het rhywun. Ro'n i'n casáu'r profiad, a dwi'n meddwl mai dyna pam nad ydw i'n rhy hoff o ganu emynau hyd heddiw. Dwi'n eu gweld nhw'n betha trwm a diflas ar y naw.

Un peth ro'n i yn ei fwynhau am y capel oedd y Gymdeithas, ac yn arbennig y noson agoriadol neu'r 'Sosial', fel y'i gelwid. Mi ddowch i ddeall mod i'n un go arw am fy mol, achos dyna oedd y Sosial – llond eich bol o fwyd, a ninna'r plant, ar ôl y gwledda, yn cael chwarae allan yn y twllwch tra byddai merched y capel yn clirio'r llestri. Wedyn brethyn cartre o adloniant – y plant a'r oedolion yn cael perfformio unrhyw beth a fynnen nhw, yn ddawns y glocsen, sgetsys, canu neu adrodd stori.

Crydd oedd Yncl Gut, brawd Mam, ac mi fyddai'n gwneud clocsiau. Mi ges i bâr ganddo fo, ac ro'n i'n ffansïo fy hun fel clocsiwr ers talwm. Mi ddawnsiais sawl tro yn y Gymdeithas, ac ro'n i'n dipyn o giamstar ar y 'Russian Dance' ar ddiwedd y perfformiad – cwrcwd a chicio traed!

Dylanwad mawr arna i'n blentyn oedd organyddes y capel, Mrs Morfydd Edwards. Ro'n i wrth fy modd yn cael mynd i Dolydd, ei chartre, i fynd dros rhyw gân neu emyn. Mi fyddwn yn canu deuawd efo'i merch, Nia, a Morfydd fyddai'n fy nysgu i ganu alto. Bu Nia a finna'n canu llawer efo'n gilydd am flynyddoedd wedyn mewn steddfodau bach a mawr. Morfydd hefyd, yn ddiweddarach, roddodd y cyfle i mi ganu'r organ yn y capel ac ro'n i'n falch iawn o gael gwneud.

Ond roedd 'na reswm arall pam y byddwn yn mwynhau mynd i Dolydd. Byngalo oedd o, ac roedd ganddyn nhw ffited carpet trwy'r tŷ. I mi roedd hynny'n andros o grand o'i gymharu â'r teils coch oer oedd yn ein tŷ ni. Mi fyddwn wrth fy modd yn suddo i foethusrwydd y carped trwchus hwnnw. Ymhen blynyddoedd mi gawson ninna un, ond stori arall ydi honno.

Ysgol British, Llangefni

Roedd symud o ysgol fach Rhosmeirch i Ysgol British, Llangefni, yn gam mawr. Yn un peth roedd rhaid teithio yno ar y bỳs, ond yn waeth na hynny roedd hi'n ymddangos bod y mwyafrif yn siarad Saesneg yno! Roedd Ann Glan 'Rafon a finna ar goll yn lân, ac yn deall dim gair o Saesneg. Er mai Cymry Cymraeg oedd yr athrawon, roeddan nhw'n siarad Saesneg gan amla. Mi ges i goblyn o waith setlo, ond yn ara bach mi ddaeth Ann a finna'n ffrindia efo genod y dre – Sheila, Angela, Bessie ac Avril – a buan y dois i ddeall yr iaith fain hefyd.

Roedd gen i ofn llawer o'r athrawon, yn enwedig Miss

Williams Benllech, er bod raid cyfadde'i bod hi'n athrawes dda. Faswn i ddim wedi dysgu fy nhablau mor drwyadl oni bai amdani hi.

Hen ferch oedd Miss Mair Williams, a hi fyddai'n ein dysgu i ganu yn y côr. Mi fyddai'n mynnu ein bod ni'n rhoi bys ar ein gên i agor a chau'n cegau fel trap dôr wrth ganu, a hitha'n gweiddi bob hyn a hyn, 'Drop your jaw, girl!'

Un ro'n i'n hoff iawn ohoni yn Ysgol British oedd Mrs Elisabeth Williams, Talwrn. Hi fyddai'n ein dysgu i wnïo. Roedd hi'n ddynas annwyl dros ben ac, yn wahanol i'r athrawon eraill, yn siarad Cymraeg efo ni. Felly ro'n i'n teimlo'n llawer mwy cartrefol efo hi, er na chafodd hi fawr o hwyl ar fy nysgu i wnïo!

Anghofia i byth gael fy mychanu gan un athro pan o'n i yn Standard Ffôr (Blwyddyn 6 y dyddiau yma). Roeddan ni'n cymryd ein tro i ddarllen ar goedd yn Saesneg, a finna'n crynu wrth i nhro i ddod yn nes. Mi gychwynnais yn ddigon del, nes i mi ddod ar draws y gair 'ocean'. Mi driais ei ddweud o'n sydyn a distaw dan 'y ngwynt – 'o-sîn' – gan obeithio'r gorau. Ond doedd yr hen athro ddim am adael i mi gael getawê mor hawdd â hynny. 'Read that word again,' medda fo, a finna'n methu'n glir â gwybod sut i'w ynganu. 'O-sîn,' meddwn i eto, a'r plant eraill wedi dechrau pwffian chwerthin erbyn hyn. 'Try again,' medda fo, ac 'O-sîn' medda finna am y trydydd tro. 'Come here,' meddai'r athro, a mynd â fi at glamp o fap o'r byd oedd ar y wal. 'What does this say?' medda fo, gan bwyntio at 'Atlantic Ocean'. Pan welais y gair yn sownd wrth 'Atlantic', mi wyddwn yn syth sut i'w ynganu. Anghofia i byth y profiad a'r c'wilydd a deimlais i. Mi addewais i mi fy hun, pe bawn i'n athrawes ryw ddydd, na fyddwn i byth yn bychanu plentyn fel yna.

Y ffited carpet

Dim ond unwaith erioed dwi'n cofio Dad yn gwylltio go iawn. Roedd Mam wedi bod yn mwydro isio ffited carpet er mwyn cuddio'r hen deils coch, oeraidd yna oedd yn ein tŷ ni. Roedd 'na sawl twll ar ganol amryw o'r teils lle'r arferai Richard a finna chwarae marblis gyda'r nosau. Roedd fy mrawd bellach wedi mynd i'r brifysgol yng Nghaerdydd, ac roedd Mam yn teimlo colled ar ei ôl o ac wedi mynd braidd yn isel ei hysbryd. Roedd yr hen deils wedi mynd yn fwrn arni, ac yn anodd eu cadw'n lân.

Wn i ddim o ble daeth y ffited carpet, ond pan ddois i adra o'r ysgol un diwrnod dyna ble roedd o, fel glaswellt tywyll digalon ar y llawr. Wedi'r holl flynyddoedd o weld llawr sgwarog coch, rŵan roedd y carped gwyrdd tywyll plaen 'ma o dan ein traed. Roedd o'n afiach o beth ac roedd Mam yn ei dagrau, er mai hi oedd wedi'i ddewis. Wyddwn i ddim beth i'w ddweud. Do'n i ddim yn suddo i mewn iddo fo fel yn nhŷ Morfydd Edwards, a doedd o ddim yn garped i godi calon neb. Roedd Dad yn trio cysuro Mam y byddai hi'n dod i arfer efo fo, ond doedd dim yn tycio.

Wedi wythnosau o gnadu, mi ffrwydrodd Dad. Roedd o wedi cael llond bol ar Mam yn cwyno a chrio, felly efo bocs matsys yn ei law, mi waeddodd ei fod am godi'r 'diawl carped' a'i losgi yn yr ardd. Dyna'r tro cynta a'r ola i mi weld Dad wedi gwylltio go iawn. Wnaeth o ddim coelcerth o'r carped, wrth gwrs, ond buan iawn y daeth Mam at ei choed.

Bu'r hen garped ar y llawr am flynyddoedd maith, a rhaid dweud iddo fod yn wisgwr da – a do, mi ddaethon ni i arfer ag o.

Cerddoriaeth a chefnogaeth

Gwersi piano

Mi ges i fy mhiano cynta pan o'n i'n saith oed. Ro'n i wedi bod yn swnian ers tro, ac o'r diwedd mi brynodd Dad a Mam un ail-law i mi am chwephunt. Dyna'r chwephunt ora iddyn nhw wario arna i erioed. Trefnwyd bod rhyw Miss Rowlands yn dod draw i roi gwersi i mi, ond yn anffodus doedd hi ddim yn cadw at ei gair a phrin roeddan ni'n ei gweld hi, felly dyma gael athrawes arall, sef Mrs Cissie Roberts, gwraig gweinidog y Bedyddwyr yn Llangefni. Ro'n i'n mynd i'w thŷ hi bob wythnos i gael gwersi. Roedd hi'n athrawes dda ac yn mynnu'r gora ohona i bob amser; ro'n i'n fflio trwy'r arholiadau, ac yn mwynhau'r llwyddiant.

Dad fyddai'n ista efo fi tra byddwn i'n ymarfer. Gan mai dim ond dwy ystafell oedd ganddon ni i lawr grisia doedd ganddo fo fawr o ddewis, mae'n debyg. Byddai Mrs Roberts yn sgwennu mewn rhyw lyfr bopeth ro'n i i fod i'w ymarfer erbyn yr wythnos ganlynol, gan restru llwyth o sgêls ac *arpeggios*. Byddai Dad wedyn yn enwi'r sgêls fesul un a finna'n eu chwarae. Rhaid i mi gyfadda i mi ei dwyllo sawl tro pan fyddai'n gofyn i mi chwara rhyw sgêl go anodd fel *F sharp major* neu *C sharp minor* – mi fyddwn yn chwara rhai hawdd fel *C major* neu *A minor* iddo, a fynta ddim callach o gwbl!

Cyngor Dad bob amser pan fyddwn i'n cael trafferth efo

unrhyw beth fyddai: 'Paid â gadael iddo fod yn fistar arnat ti.' Dwi'n cofio dysgu darn piano o'r enw 'Punch and Judy' ar gyfer Eisteddfod yr Urdd ym Mhorthmadog. Ro'n i wedi cael mynd ymlaen i'r Genedlaethol ac wedi ymarfer y darn nes mod i'n ei wybod o tu chwith allan, a'm rhieni'n hyderus y byddwn i'n llwyddo gan mod i wedi ymarfer cymaint.

Ar fore gwlyb yn Port ro'n i yn y rhagbrawf yn gynnar, yn barod i gystadlu, ond pan eisteddais o flaen y piano a'r stiward yn dweud wrtha i am ddechrau, mi aeth popeth yn ffliwt. Ar fy mhiano chwephunt i adra roedd twll clo gyferbyn â'r C canol, ond doedd dim sôn am dwll clo ar y piano crand yma – ac i wneud petha'n waeth, roedd 'na dri phedal! Wyddwn i ddim ble i ddechrau, ac yn wir i chi, hyd y dydd heddiw, wn i ddim beth wnes i chwarae – yn sicr, nid 'Punch and Judy' oedd o! Roedd wyneb fy rhieni'n bictiwr o syndod wedi i mi orffen, a Mam yn gofyn, 'Be goblyn 'nes di chwara?' Fedrwn i mo'i hateb hi. Dwi'n meddwl mai dyna'r tro cynta i mi gyfansoddi ar y pryd. Wnaethon ni ddim trafferthu aros, dim ond hel ein traed yn y glaw a'i throi hi am dŷ fy hen Anti Bet, Gwiga, Rhos-lan, i gael clamp o ginio rhost ac anghofio am y diwrnod a'i helynt.

A finna wedi pasio fy ngradd 6 yn ifanc iawn, teimlai Mrs Roberts y dylwn gael athro newydd i fynd â fi mlaen at y cam nesa. Cafwyd ar ddeall fod cerddor a phianydd ardderchog yn byw yng ngogledd Môn – gŵr di-Gymraeg oedd wedi bod yn organydd gyda Cherddorfa'r Hallé – a threfnwyd y byddai'n dod i'r tŷ i roi gwersi i mi bob wythnos. Erbyn hyn, ro'n i wedi cychwyn yn yr ysgol uwchradd ac wedi cael piano arall. Ugain punt gostiodd yr un ail-law hwnnw, ac mi fuodd acw am flynyddoedd lawer.

Dysgodd fy athro newydd fi sut i chwarae'n gerddorol, a

gwneud i'r hen biano ugain punt siarad a chanu. Doedd dim amheuaeth nad oeddwn i'n dysgu llawer gyda'r pwtyn boliog o athro. Mi lwyddais i basio fy ngradd 8 yn bedair ar ddeg oed, a byddai fy athro'n garedig iawn yn rhoi llyfrau o waith Chopin a Beethoven yn anrhegion i mi. Byddai hefyd yn dod â *sweet peas* o'i ardd imi'n aml.

Ond roedd gen i broblem efo'r dyn. Fel ro'n i'n mynd yn hŷn mi fyddai'n mynnu fy nghusanu ar ddiwedd pob gwers, ac yn 'nelu am fy ngheg bob tro, er i mi drio'i osgoi o. Mi fyddwn yn trio'i gwneud hi am ddrws y stafell cyn iddo gael cyfle, ond yn amlach na pheidio byddai'n fy ngwasgu yn erbyn y wal ac yn fy nghusanu. Mi geisiais ddweud wrth Mam am hyn ond roedd hi'n meddwl mai fi oedd yn gwneud môr a mynydd o sefyllfa ddiniwed. Do'n i ddim yn edrych ymlaen at y gwersi, ac ro'n i'n teimlo'n anghyfforddus yn ei gwmni o.

Daeth y cyfan i benllanw yng nghanol un wers pan roddodd y sglyfath ei law ar fy mron a nghusanu, gan stwffio'i dafod i ngheg. Mi wthiais o i ffwrdd gan ddweud wrtho fod yn rhaid i hyn stopio neu y byddwn yn achwyn amdano. Ond fedrwn i ddim dweud wrth fy rhieni beth oedd wedi digwydd; roeddan nhw'n meddwl ei fod o'n ŵr bonheddig ac yn ei barchu. Mi fihafiodd wedyn, diolch byth, ond bob tro y bydda i'n gweld neu'n arogli *sweet peas*, mae'r cyfan yn dod yn ôl i mi.

Ar ôl hynny ro'n i'n amheus iawn o athrawon piano, ac yn betrusgar yn eu cwmni. Mi ges i athro piano yn y coleg, ac un arall wedi i mi briodi, a do'n i ddim yn hapus o gwbl yn eu cwmni nhwytha chwaith gan eu bod yn rhy awyddus i afael amdana i. Dynion yn eu hoed a'u hamser oeddan nhw, ac yn hiraethu neu'n awchu am yr hyn na fu yn eu bywyd carwriaethol, ella. Yn sicr, do'n i ddim yn eu hannog mewn unrhyw ffordd, oni bai bod ffasiwn newydd y sgertia mini'n eu cynhyrfu nhw! Dim ond am dair blynedd y parodd y gwersi yn y coleg, ac am ryw gwta flwyddyn y bu'n rhaid i mi ddiodda'r llall.

Fel y soniais, ro'n i wedi pasio fy ngradd 8 yn bedair ar ddeg oed, ond chawn i ddim rhoi cynnig ar yr LRAM nes mod i'n ddeunaw. Felly bu'r cyfnod yma'n gyfle i mi gael chwarae pob math o gerddoriaeth, ac yn gyfnod o aeddfedu'n gerddorol gan ddatblygu fy nhechneg. Erbyn hyn ro'n i wedi cael sawl athro neu athrawes piano, yn cynnwys un yn y coleg cerdd ym Manceinion. Cewch glywed mwy am hynny maes o law.

Roedd tair rhan i'r arholiad LRAM, sef perfformio, sain glust a theori. Anghofia i byth y diwrnod yr aethon ni i Lundain ar gyfer yr arholiad: Dad, Mam a fi'n mynd yno ar y trên o Fangor. Cyrraedd Llundain, a thipyn o frys wedyn i fod yn y coleg mewn pryd. Dyma ddal tacsi a neidio i mewn iddo, a Dad druan yn dweud wrth y dreifar yn ei Saesneg gwladaidd Sir Fônaidd: 'As cwic as iw can, to the Acadêmi, plis.' Wyddai Dad ddim bod ei sêt mor bell y tu ôl iddo, ac wrth ista mi syrthiodd ar ei din ar lawr y tacsi a'i draed i fyny, wrth i'r gyrrwr gychwyn ar wib. Roedd Mam a fi'n sâl yn chwerthin am ben y sefyllfa – cyntri bymcins go iawn yn Llundain bell. Ches i fawr o hwyl ar yr arholiad: ro'n i'n nerfus ac yn cael trafferth deall popeth roeddan nhw'n ei ofyn i mi. Mi ddois oddi yno'n siomedig ac yn flin efo fi fy hun.

Beth bynnag, ymhen ychydig wythnosau daeth amlen trwy'r post yn cynnwys adroddiad am yr arholiad a'r marciau. Ro'n i wedi pasio rhan ohono ond nid y cyfan, felly do'n i ddim wedi llwyddo i gael yr LRAM. Doedd hynny'n ddim syndod o gwbl. Ond yr hyn ddaeth yn y post yr wythnos ganlynol a'm synnodd: clamp o amlen yn cynnwys tystysgrif a'm henw i arni, yn datgan mod i wedi pasio fy LRAM. Do'n i ddim yn deall o gwbl! Mi wyddwn yn iawn nad o'n i wedi pasio, ac mai camgymeriad oedd y dystysgrif.

Ysgrifennais at y Royal Academy of Music yn egluro f'amheuon, a ches lythyr yn ôl yn ymddiheuro eu bod nhw wedi gwneud camgymeriad ac yn gofyn faswn i'n gyrru'r dystysgrif yn ôl iddyn nhw. Mi wnes i hynny, ond gan wneud llun-gopi ohoni'n gyntaf er mwyn i mi gael cofio am y blerwch, a chofio am yr hyn ddylwn i fod wedi llwyddo i'w gael.

Dewi a Myra Jones

Ddechrau'r chwedegau, pan oeddwn i tua naw oed, mi ddaeth gweinidog newydd a'i wraig i Gapel Smyrna, Llangefni – y Parchedig Dewi Jones a'i wraig, Myra. Roedd y ddau wedi symud o Lan Conwy, ac er mai gwraig o Groes-lan, ger Llandysul, Dyfed, oedd Myra Jones yn wreiddiol, mi ymgartrefodd yng nghanol y Monwysion yn syth bìn.

Yn fuan iawn, mi gawson ni lythyr yn yr ysgol yn dweud y byddai Adran yr Urdd yn dechrau ar ôl oriau ysgol, gyda Dewi a Myra Jones yn gofalu amdani. Gan fod Nia a finna'n mwynhau canu mi benderfynon ni ymuno â'r Adran. I lawr â ni ar y bỳs, a dyma ddechrau cyfnod gafodd ddylanwad aruthrol arna i.

Dewi Jones oedd y cerddor yn y bartneriaeth ond Myra oedd yn dehongli – yn mynd dan groen y geiriau – ac yn ein dysgu i adrodd. Paratoi at steddfodau'r Urdd oedd prif nod yr Adran, a byddai Mr Hywel Williams yn dod atom i gyfeilio. Athro Cerdd yn yr ysgol uwchradd oedd Mr Williams a'i lysenw yno oedd 'Kiss me quick', ond wnes i rioed ddeall pam y cafodd o'r fath lysenw. Ro'n i wrth fy modd yn mynd i'r Adran, ac yn cael bod yn aelod o gorau a phartïon canu, llefaru a cherdd dant.

Ar y pryd, dwi ddim yn meddwl mod i fawr callach be oedd cerdd dant, dim ond bod y cyfan yn rhoi boddhad mawr i mi. Os oeddan ni awydd canu'n unigol mi fydden ni'n cael ein dysgu efo'n gilydd, ac yna'n cael rhyw dro bach fesul un cyn y steddfod. Dwi'n cofio'r unawd gynta i mi gystadlu arni o dan 12 oed: 'Dilys ddel a'i doli ganddi'. Wnes i ddim ennill ond doedd hynny ddim o bwys. Aeth y côr ymlaen i ennill yn Steddfod Genedlaethol yr Urdd Caergybi 1966 am ganu 'Yno yn hwyrddydd Ebrill' dan arweiniad Dewi Jones.

Gan fod cymaint o griw yn yr Adran mi ffurfiwyd dau barti canu, sef Parti'r Graig a Pharti'r Felin. Mi fydden ni'n aml yn cystadlu yn erbyn ein gilydd, a'r naill yn curo'r llall mewn gwahanol steddfodau bach lleol. Ar wahân i Eisteddfod yr Urdd, byddai cryn ymarfer ar gyfer steddfodau Môn, Llandegfan, Llanddeusant a Llanrwst, ac enwi rhai ohonyn nhw yn unig.

Do'n i ddim yn mwynhau'r busnes adrodd 'ma ryw lawer. Mewn parti, doedd fy llais i ddim yn blendio'n rhy dda efo'r gweddill, rywsut, ac mi fyddwn yn aml yn cael pwl o chwerthin yng nghanol ymarferion a pherffformiadau, yn enwedig os byddai'r darn yn un dwys a difrifol ac yn gofyn am wyneb syth. Mi fydda i hyd heddiw yn dal i weld y cyfan yn ddigri pan fydd criw'n cydlefaru ar lwyfan – dydi o ddim yn naturiol, rywsut.

Dim ond unwaith y rhois i gynnig ar gystadleuaeth

adrodd unigol, a hynny yn Eisteddfod Marian-glas pan o'n i tua tair ar ddeg oed. Y darn oedd 'Yr Ebol Asyn' gan I. D. Hooson, a thua'r diwedd roedd gofyn i mi weiddi 'Hosanna Iddo Ef!' Ro'n i'n swp sâl yn meddwl am y peth, a dyna'r 'Hosanna' fwya tila a glywyd erioed, siŵr o fod. Wnes i ddim adrodd byth wedyn. Ond mi fyddwn i'n cael cryn fwynhad ac yn dysgu llawer wrth wrando ar lais dwfn, cynnes Myra Jones yn hyfforddi eraill, ac yn dehongli darnau o farddoniaeth.

Erbyn hyn roedd y busnes cystadlu 'ma wedi dechrau cael gafael arna i. Mi fydden ni'n crwydro i bob steddfod ym Môn, a thros y bont hefyd. Roedd hi'n fwy o hwyl mynd yn griw, a Pharti'r Graig a Pharti'r Felin yn prysur wneud enw iddyn nhw'u hunain. Dwi'n cofio un tro, yn Eisteddfod Llanfairfechan, inni gystadlu ar bob cystadleuaeth bosib – yn cynnwys parti dawnsio gwerin. Yng nghanol y ddawns, heb fawr o glem be oeddan ni'n ei wneud, dyma'r trydan yn diffodd, a ninna'n baglu ar draws ein gilydd ar y llwyfan ac yn chwerthin nes oeddan ni'n sâl.

Ond daeth tristwch mawr dros yr ardal pan fu farw'r Parchedig Dewi Jones yn ddisymwth yn 1967. Roedd o wedi'i daro'n wael a'i gludo i Ysbyty Môn ac Arfon ym Mangor, ond gwaethygodd ei gyflwr yn sydyn a bu farw. Mi gawson ni ddeall wedyn mai pendics wedi byrstio oedd achos diangen ei farwolaeth yn ddim ond 51 oed. Yn naturiol, bu'n loes fawr i Mrs Jones, ond daliodd i weithio yn ein mysg ni am rai blynyddoedd wedyn.

Mi symudodd o dŷ'r gweinidog yn Lôn Talwrn i un o fflatiau Bro Tudur, Llangefni, gan ei weddnewid yn balas bach cartrefol. Roeddan ni'n treulio oriau yno'n ymarfer, gan nad oedd amser yn cyfri dim iddi. Fel cyd-ddisgyblion mi fydden ni i gyd yn gwrando ar ein gilydd yn ymarfer, ac yn dysgu llawer felly. Yn aml iawn mi fyddai'r ymarfer yn troi'n wers goginio, a ffwrdd â ni i'r gegin fach i'w helpu i wneud teisen, heb gerydd yn y byd am y stomp a'r llanast fydden ni'n ei greu.

Pinacl y flwyddyn oedd cael cystadlu yn y Genedlaethol. Doeddan ni ddim yn arfer rhygnu ar y darnau am fisoedd ymlaen llaw; yn hytrach, ras wyllt funud ola i ddysgu a rhoi sglein fyddai hi wastad. Ac roedd popeth yn gweithio! Gareth Mitford Williams fyddai'n cyfeilio i ni yn yr ymarferion erbyn hyn, ac roedd yntau fel finna'n cymryd cryn ddiddordeb yn y busnes gosod 'ma ar gyfer y cystadlaethau cerdd dant.

Mi fydden ni wrth ein boddau'n cael campio ar lawr rhyw stafell mewn ysgol yn ardal y Steddfod, a Mrs Jones yn ein canol yn hapus braf. Trefnu wedyn i fynd i noson lawen yn hwyr y nos, ac os byddai rhyw hogyn am fynd â ni allan am y noson, mi fyddai hitha'n gosod y ddeddf i lawr iddo fo, gan orffen efo'r frawddeg: 'Dewch â hi'n ôl yn union fel y cawsoch chi hi!'

Dwi'n ein cofio ni, yn ystod wsnos Steddfod Rhydaman 1970, yn mynd i ryw noson lawen yn rhesiad y tu ôl i Mrs Jones, fel chwiaid bach y tu ôl i'w mam, a rhyw hogyn meddw yn gwthio un ohonon ni. Dyma Mrs Jones yn ei daro efo'i bag llaw ac yn dweud wrtho am wylio ble roedd o'n mynd. Yna llond stryd ohonon ni'n canu emynau hyd oriau mân y bore, a phawb yn gwbod y geiriau. Roedd hi'n ofalus iawn ohonon ni, ond y tro hwnnw mi gyrhaeddodd y stori Sir Fôn fod Mrs Jones wedi hanner lladd rhyw hogyn yn y Steddfod!

Dro arall, dwi'n cofio criw ohonon ni'n trio molchi yn nhoiledau rhyw ysgol fach cyn cystadlu, ac Eleri Ty'n Tywyrch yn dweud: 'O, ma hi'n anodd molchi'n lân mewn lle fel hyn; mi fasa'n braf cael bath rŵan!' – a Mrs Jones yn troi ati a dweud, 'Fel hyn ma isio i chi wneud Eleri: Wash down as far as possible, wash up as far as possible, and then wash *possible!*'

Ychydig flynyddoedd yn ddiweddarach fe benderfynodd Mrs Jones y byddai hi'n hoffi dysgu dreifio, a Nhad gafodd y dasg ofnadwy o geisio'i dysgu. Roedd ganddi drwydded ers dyddiau'r rhyfel pan nad oedd angen wynebu'r prawf gyrru (ac roedd hi'n lwcus iawn o hynny). Byddai'n mynd am drip bach ar ei phen ei hun i ryw steddfod neu'i gilydd yn aml, ond y sioc fwya a gafodd Nhad oedd derbyn galwad ffôn ganddi o ryw dref fawr ar gyrion Llundain, yn gofyn sut yn union oedd mynd rownd rhyw rowndabowt gan fod llawer gyrrwr blin wedi canu'i gorn arni!

Dechrau crwydro

Llangrannog

Mi fûm i yn Llangrannog bedair gwaith tra o'n i yn Ysgol British ac yn nechrau'r cyfnod yn yr ysgol uwchradd. Ro'n i wrth fy modd yno, yn enwedig cael y cyfle i gyfarfod Cymry bach eraill o wahanol rannau o'r wlad. Roedd hi'n daith hir iawn yn y bỳs yr holl ffordd o Fôn i lawr tua'r de, a rhaid oedd aros yn Aberystwyth i newid bỳs cyn parhau ar ein taith i'r gwersyll.

Roedd cael llusgo hen gês a sach gysgu dan fy nghesail i aros yn y cabanau bach pren efo'm ffrindia yn brofiad gwych, yn union fel petaen ni mewn cwt ieir. Antur oedd y cyfan i mi, a chyfle i gael profiadau newydd a chyffrous. Ro'n i'n arfer darllen llyfrau Enid Blyton yn y cyfnod hwn, ac roedd cael bod efo criw o ffrindia ar fy mhen fy hun, heb fy rhieni ac mor bell i ffwrdd o adra, yn mynd â fi'n syth i fyd y Secret Seven a'r Famous Five. Roedd yr hafau'n rhai hir a braf yr adeg honno, a'r golygfeydd wrth gerdded i lawr am y traeth yn odidog. Gweithgareddau digon cyffredin fyddai'n digwydd yn y gwersyll – fel mabolgampau, gêmau cystadleuol, noson lawen a chanu – ond roedd rhyw hud diniwed o gwmpas y lle.

Yn Llangrannog y gwnes i syrthio mewn cariad gynta, efo hogyn o Sarn Bach, Pen Llŷn. Dwi'n cofio crio ar hyd y ffordd adra wrth feddwl na fyddwn i'n cael ei gyfarfod o wedyn, ar wahân i ambell lythyr, o bosib. Ond mi gawson ni gyfarfod ein gilydd mewn steddfodau sawl tro ym Mwlchtocyn, Nefyn ac Uwchmynydd, a do, fe ddaeth y postmon â llythyrau am fisoedd lawer. Yr hyn sy'n rhyfedd ydi, pan oedd y llanc ifanc o Lŷn yn priodi (nid efo fi) ymhen blynyddoedd wedyn, fy mrawd oedd ei was priodas gan i'r ddau fod yn gyd-athrawon mewn ysgol uwchradd ym Môn.

Dwi'n cofio un daith adra o Langrannog pan ddaeth Dafydd Lloyd, o Gartref Bontnewydd ar y pryd, i eistedd wrth f'ymyl i. Hogyn croenddu ydi Dafydd ac yn dipyn o gymêr. Am ryw reswm, ar hyd y ffordd adra mi chwaraeodd efo nghlust i. Erbyn cyrraedd Aberystwyth doedd gen i ddim teimlad ynddi! Sgwn i ydi o'n cofio?!

Mi gafodd un o genod ein criw ni o Langefni bwl o hiraeth yno un tro. Mi fuodd hi'n crio'n ddi-stop wedi i ni gyrraedd y gwersyll, a bu'n rhaid i'w rhieni ei nôl hi'r diwrnod canlynol. Ddim *isio* mynd adra o'n i!

Goleuadau Blackpool

Roedd un o chwiorydd Mam, Anti Grace, wedi priodi efo *warrant officer* yn y Llu Awyr, ar ôl ei gyfarfod adeg y Rhyfel Byd Cyntaf. Mi fuon nhw'n byw yn Jerwsalem am flynyddoedd, cyn dod yn ôl i ymgartrefu yn Blackpool o bobman! Mi gollodd Anti Grace ei gŵr ond aros yn Lloegr wnaeth hi am gyfnod gan fod ei phlant yno. Felly, dyna ble roeddan ni fel teulu'n mynd ar ein gwyliau blynyddol, yn y fan fach werdd.

Doedd y siwrnai yno ddim yn un bleserus o gwbl, achos doedd fy mrawd a finna'n gweld dim byd o gefn y fan gan nad oedd ffenestri iddi, a do'n i ddim yn un dda iawn am deithio. Yn aml, mi fyddwn wedi chwydu dros bawb a phopeth cyn cyrraedd Bangor! Roedd rhaid aros yn y caffi bach hwnnw ar ochor y ffordd ym Modelwyddan i gael paned ac yna ymlaen â ni ar y daith, a Dad yn dipyn o foi'n gallu dreifio trwy ganol Lerpwl heb *sat nav* o fath yn y byd! Ar gyrion Blackpool mi fyddai'n gêm rhwng Richard a fi pwy fyddai'r cynta i weld y tŵr enwog a'r felin wynt wen. Wedi cyrraedd pen ein taith mi fyddai 'na groeso mawr i ni. Gwraig annwyl iawn oedd Anti Grace.

Ddiwedd Hydref y bydden ni'n mynd yno, er mwyn cael gweld y goleuadau. Mae'n debyg mai ym 1879 y dechreuwyd addurno'r strydoedd efo goleuadau o bob lliw, a dim ond wyth cadwyn o oleuadau oedd yno ar y dechrau. Erbyn hyn, dwi'n deall bod y lle fel Las Vegas!

Roeddan ni'n gwirioni cael teithio yn y tram ar hyd y promenâd, ond dwi'n cofio i Richard gael anffawd un tro wrth i'w esgid fynd yn sownd yn nhrac y tram ac mi fu'n rhaid iddo'i gadael yno. Yna, caem fynd i weld ambell sioe, a chlywed pobol fel Frank Ifield yn canu 'I remember you' a 'She taught me to yodel'.

Roedd yn rhaid cael mynd i ben y tŵr bob tro i ryfeddu at y golygfeydd ac edrych i lawr ar y morgrug o bobol yn crwydro'r siopau. Byddai raid i Dad gael mynd i weld y cloc o flodau enwog yn Stanley Park, tra byddai Richard a finna'n swnian am gael mynd i'r Pleasure Beach i gael mynd yn chwil ar y reids. Dwi'n cofio'n arbennig reid Arch Noa, y Big Dipper a'r dyn boliog yn chwerthin y tu allan i'r Fun House.

Gyda'r nos mi fydden ni'n mynd i'r syrcas, ac roedd hon wedi'i lleoli rhwng pedair coes y tŵr mawr. I blant bach o'r wlad oedd ddim yn berchen ar deledu roedd campau'r acrobats, doniolwch y ddau glown, Coco a Charlie Cairoli, a chlyfrwch yr anifeiliaid yn rhyfeddod pur. I goroni'r noson byddai'r cylch mawr yn cael ei lenwi efo dŵr i greu pwll anferth, a phob math o giamocs yn digwydd ynddo fo.

Mi fydden ni'n mynd i'r Ballroom yn y tŵr, hefyd, i wrando ar yr organ enwog, y Wurlitzer, yn cael ei chwarae. Byddai'r organ yn codi o bydew yn y llawr ac roedd ei sain yn anfarwol. Un tro, gafaelodd Dad yndda i a dechrau 'waltsio' yn ei ffordd Sir Fônaidd ar hyd llawr y Ballroom; roedd Richard yn flin iawn efo ni, ac yn erfyn arnon ni i stopio am ein bod yn codi c'wilydd arno fo. Roedd o wedi gwylltio cymaint nes iddo redeg allan a charlamu'r holl ffordd yn ôl i dŷ Anti Grace ar ei ben ei hun. Gafodd o andros o ffrae wedyn.

Ysgol Gyfun Llangefni

Yr ysgol a'r *cello*

Bu chwyldro ym myd addysg yn y pumdegau, ac roedd Ynys Môn ar flaen y gad yn sefydlu ysgolion cyfun. Agorwyd ysgolion cyfun Amlwch, Caergybi a Llangefni i ddechrau, a Phorthaethwy'n dilyn ychydig flynyddoedd yn ddiweddarach.

Cafodd Ysgol Gyfun Llangefni ei hadeiladu ar gyfer rhyw 750 o blant yn wreiddiol, ond y diwrnod yr agorodd yr ysgol yn 1953, llifodd 850 o blant trwy'i drysau. Dim ond 35 athro oedd yno, felly gallwch ddychmygu fod y gymhareb athro/plentyn yn wan iawn ar y pryd, ond mi lwyddwyd i gael mwy o athrawon ymhen blwyddyn neu ddwy.

Mae'n debyg nad oedd yr ysgol yn hanner parod y diwrnod yr agorwyd hi, ac mi ddywedwyd mewn un papur lleol bod y caeau chwarae'n debycach i ffosydd Ffrainc adeg y Rhyfel Byd Cyntaf. Doedd dim ffôn yno ar y dechrau, chwaith, ond bu raid cael un ymhen y flwyddyn achos bu farw un o'r adeiladwyr ar y safle ryw ddydd Sadwrn, a neb yn gallu ffonio'r doctor. Gyrrwyd cwyn at y GPO a dyna sut y daeth ffôn i'r ysgol am y tro cynta. Meddyliwch, mewn difri, am geisio rheoli ysgol heddiw heb ffôn!

Am ryw reswm roeddan ni'n cael mynd i'r ysgol uwchradd flwyddyn ynghynt yn Sir Fôn. Felly, ym Medi 1964, yn ddeg oed, dyna lle ro'n i yn fy *gymslip* nefi-blŵ, blows wen, tei streipiog, cardigan farŵn a sash coch o amgylch fy nghanol i ddynodi mod i yn Nhŷ Celyn, a thros y cyfan gabardîn oedd filltiroedd yn rhy fawr i mi, ac yn llusgo satsial lledr cryf i ddal y cas pensiliau a'r llyfrau. Gan fod Richard chwe blynedd yn hŷn na fi roedd o yn y Chweched pan o'n i'n dechrau yn yr ysgol; doedd ganddo ddim awydd edrych ar fy ôl i o gwbl – yn wir, dwi'n meddwl fod ganddo g'wilydd ohona i.

Ro'n i'n teithio ar y bỳs i dre Llangefni, ac yna'n cerdded yr allt serth – Allt Stesion, fel y galwem ni hi – i fyny am yr ysgol. Y prifathro ar y pryd oedd Mr E. D. Davies, gŵr o Ddyffryn Aeron yn wreiddiol, a gadwodd ei dafodiaith Sir Aberteifi am y deugain mlynedd y bu'n byw yng nghanol y Monwysion. Roedd o'n Hitlar o ddyn ac roedd gan bawb ei ofn o. Mi fyddai'n cerdded coridorau'r ysgol a'i glogyn du yn chwifio'r tu ôl iddo fel Batman, a doedd wiw i ni sbio'n gam arno neu mi fydden ni'n cael llond ceg.

Roedd symud o ysgol fach Rhosmeirch i Ysgol British yn gam mawr, ond roedd symud i'r ysgol uwchradd i ganol cynifer â mil o blant yn gam anferthol. Yn ystod yr wythnosau cynta, dwi'n cofio fod gen i ofn am fy mywyd cael gwers gan yr athro Addysg Grefyddol, J. Madoc Jones. Roedd sôn amdano fel dyn blin. Wrth fynd i'r wers gynta efo fo a fynta'n sefyll ar ben y grisiau'n aros amdanon ni, mi feddyliais y byddai'n help rhoi gwên fach annwyl iddo, ond mi waeddodd nerth esgyrn ei ben arna i: 'Get rid of that grin off your face, girl.' Wnes i byth wenu arno fo wedyn.

Ar ôl ychydig o brofion dros yr wythnosau cynta mi lwyddais i gyrraedd dosbarth 1A, a dod i nabod plant o ysgolion eraill a gwneud ffrindia newydd. Ro'n i wrth fy modd yn yr ysgol ac yn ymuno efo popeth posib: yr Urdd, y Clwb Cerdd, y Clwb Tennis ac unrhyw fath o chwaraeon.

Yn fuan iawn mi gawson ni lythyr yn gofyn a hoffen ni ddysgu chwarae offeryn cerdd. Roedd rhestr faith o offerynnau posib, a phenderfynodd fy rhieni ofyn i Mrs Cissie Roberts, fy athrawes piano ar y pryd, pa offeryn fyddai hi'n ei argymell ar fy nghyfer. Mi awgrymodd Mrs Roberts y *cello* yn syth bìn. Wel, dwi ddim yn credu fod Dad na Mam yn gwybod sut beth oedd *cello*, heb sôn am nabod ei sŵn, ac er i mi awgrymu'r delyn neu'r ffliwt, yn y bocs gyferbyn â'r *cello* y rhoddwyd y tic. (Sylwch mod i'n dweud *cello* yn hytrach na soddgrwth; dyna be o'n i'n ei alw fo, ond efo ambell reg o'i flaen weithiau.)

Ar ôl cael prawf yn yr ysgol i weld a oedd ganddon ni glust gerddorol, dyma ddod adra un diwrnod efo horwth o fag mawr yn cario'r *cello*. Doedd o ddim yn offeryn hylaw iawn i'w gario ar fỳs gorlawn o blant ysgol yn gwthio ac yn malu awyr. Doedd 'na fawr o le, chwaith, i'w gadw fo yn y tŷ, ond roedd ganddon ni gwpwrdd yn y portsh – cwpwrdd y bydden ni'n ei alw'n 'gwt mwnci' (peidiwch â gofyn pam!) – a fanno y bu'r *cello*'n byw yng nghanol geriach llnau, welingtons, sgidiau a hen gotiau. Rhyw berthynas *love–hate* fu rhyngdda i a'r offeryn am y blynyddoedd a ddilynodd. Wrth ymarfer adra doedd y sŵn ro'n i'n ei greu ddim yn soniarus, a dweud y lleia, a doedd o ddim help fod Mam yn dweud mod i'n swnio fel buwch yn dod â llo!

Ond mi ges oriau o fwynhad o gael bod yn rhan o gerddorfa'r ysgol. Roeddan ni'n ffodus iawn o gael Mr Arwyn Jones fel athro Cerdd. 'Chips' oedd o i ni, blant; dwi'n meddwl bod ei rieni wedi bod yn cadw siop tships ar un adeg. Roedd o'n fodlon rhoi ei foreau Sadwrn a'i nosweithiau Mercher i ymarfer efo ni – cerddorfa'r ysgol bob bore Sadwrn a cherddorfa'r sir bob nos Fercher.

Byddai cerddorfa'r ysgol yn cyfeilio i'r emynau yn y gwasanaethau boreol, yn cystadlu mewn steddfodau ac yn cyfeilio yng nghymanfa ganu'r sir – dyna sut ydw i'n gallu canu llinell bas sawl emyn yn ddidrafferth. Y cam nesa oedd ceisio ymuno â Cherddorfa Môn ac Arfon. Erbyn cyrraedd fy mhedwaredd flwyddyn yn yr ysgol, mi sylweddolais fod yn rhaid i mi ymarfer yn galetach. Mi ysgrifennodd fy athrawes *cello*, Helen High, ar fy adroddiad un tro: 'Leah is a far better player than she deserves to be'. Roedd hi'n gwybod yn iawn mod i'n gallu darllen cerddoriaeth ar yr olwg gynta yn eitha da, ac felly'n dibynnu gormod ar hynny a phrin yn ymarfer o wythnos i wythnos. Beth bynnag, ar ôl cael clyweliad, mi lwyddais i gyrraedd Cerddorfa Môn ac Arfon.

Mi fydden ni'n cael mynd i aros i Blas Glynllifon, ger Caernarfon, am gyfnod yn ystod gwyliau hanner tymor yn sgil y gerddorfa. Criw mawr ohonon ni'n aros mewn clamp o stafell fawr yn y plas; gwneud ffrindia newydd efo cerddorion o Sir Gaernarfon, a syrthio mewn cariad efo hogia o Ben Llŷn. Mi fydden ni'n ymarfer yn galed trwy'r dydd ond yn mwynhau'r amser rhydd yn crwydro o gwmpas y plas, ac yn arbennig yn codi ofn ar eraill yn y nos. Roedd rhyw sôn bod ysbrydion yn crwydro'r hen blasty, ac felly mi fydden ni'n tynnu'r cynfasau oddi ar y gwlâu a'u rhoi dros ein pennau yng nghanol y nos, wedyn yn crwydro'r coridorau tywyll yn gwneud synau gwichlyd er mwyn codi ofn ar griw Arfon.

Ond un noson, mi gawson ni flas o'n pwdin ein hunain. Roedd Mam wedi rhoi paced o fisgedi i mi rhag ofn y byddwn i'n llwglyd, a ganol nos mi daerech fod eliffant yn y stafell. Roedd sŵn rhywbeth yn crafu ar hyd y llawr. Dyma un o'r genod yn rhuthro i roi'r golau ymlaen, a be welson ni ond llygoden yn straffaglio i lusgo'r paced bisgedi ar hyd y llawr pren. Fuo 'na fawr o gysgu wedyn!

Roedd tiwtor i bob adran yn y gerddorfa, a'n tiwtor ni oedd Gruff Miles (o'r grŵp Dyniadon Ynfyd Hirfelyn Tesog, wedyn). Roedd o'n chwaraewr *cello* da iawn, ac yn llawn hiwmor, wrth gwrs. Dwi'n ei gofio fo'n dweud wrthon ni un tro yng nghanol sesiwn ymarfer: 'Reit, 'chi'n ddigon da nawr, beth am i ni gyd fynd lawr i'r pyb?' A dyna ddigwyddodd – tua wyth ohonon ni'n neidio i mewn i'w fan, ac i lawr â ni i Landwrog i'r dafarn, a chyrraedd yn ôl jyst mewn pryd ar gyfer ymarfer llawn y gerddorfa a neb ddim callach, oni bai fod rhywun yn ogleuo anadl Gruff!

O gael cymaint o fwynhad yn chwarae yn y gerddorfa, y cam nesa oedd ceisio ymuno â cherddorfa Gogledd Cymru. Rhaid felly oedd rhoi mwy o ymdrech eto i ymarfer i geisio cyrraedd y safon angenrheidiol. Ar ôl clyweliad arall mi ges i fy nerbyn, a'r tro yma roedd yn rhaid teithio i Wrecsam. Mi fydden ni'n aros yng Ngholeg Cartrefle am wythnos, ac yna'n perfformio cyngerdd llawn yn Neuadd Aston ar y nos Sadwrn ola. Roedd criw ohonon ni o Ysgol Llangefni ar y cwrs – pobol fel Graham Pritchard sy'n chwarae efo Ar Log a Mynediad am Ddim, Nest Howells (mam y gantores Elin Fflur), a llu o ffrindia eraill.

Mi fydden ni'n gweithio'n galed er mwyn cyrraedd safon uchel ac, yn goron ar y cyfan, ein harweinydd oedd neb llai nag Owain Arwel Hughes. Rhaid i mi gyfadde fod gen i grysh mawr arno fo yn y cyfnod hwnnw. Roedd ganddo ddawn i wneud i bawb deimlo'n bwysig, dim ots beth oedd ein safle yn y gerddorfa. Mi fyddai'n troi at y *cellos* yn ystod yr ymarferion gan wenu a rhoi ambell winc os byddai o wedi'i blesio efo ni. Profiad gwych oedd cael gweithio gyda cherddor proffesiynol fel hyn. Efallai nad oedd pob nodyn yn ei le gen i, ond roedd y fraint o gael bod yn rhan o'r cyfan yn deimlad gwefreiddiol.

Roedd yn rhaid i bawb gael gwisg ddu ar gyfer y cyngherddau, ac roedd Eunice wedi gwnïo ffrog yn arbennig i mi. Mae hi'n dal gen i, yn hongian yn y wardrob hyd heddiw, ond dwi'n prysuro i ddweud nad ydi hi'n ffitio bellach! Ffrog gwta, ddu o ddefnydd ysgafn gyda llewys hir *chiffon* ydi hi. Erbyn meddwl, doedd y defnydd hwnnw ddim yn un addas iawn i gamfa-ledu i chwarae'r fath offeryn. Dwi'n deall rŵan pam fod Owain Arwel yn gwenu ac yn wincio cymaint wrth edrych arnon ni! Byddai fy rhieni'n dod i'r cyngerdd ar ddiwedd pob cwrs, ac yn mwynhau pob eiliad.

Mi geisiais fynd yn aelod o Gerddorfa Cymru unwaith, hefyd, ond doedd safon fy chwarae i ddim digon da, yn anffodus. Wnes i ddim ymdrechu llawer efo'r offeryn ar ôl gadael yr ysgol, ac erbyn hyn mi wn i y byddai wedi bod yn llawer gwell petawn i wedi dewis y delyn neu'r ffliwt.

Operâu Gilbert & Sullivan

Pinacl y flwyddyn yn Ysgol Llangefni fyddai perfformiad o opera gan Gilbert & Sullivan. Ro'n i wedi bod wrth fy modd yn gwylio'r disgyblion hŷn yn perfformio'r *Mikado* – pobol fel Margaret Charles (Marged Esli i chi) – ac yn ysu am gael cyrraedd yr oed i fod yn rhan o'r cyfan.

Erbyn cyrraedd Fform Ffôr ro'n i'n cael cynnig am le yn y cast. Aeth criw ohonon ni am wrandawiad, ac o hynny ymlaen, o flwyddyn i flwyddyn, mi ges fod yn rhan o *H.M.S. Pinafore, The Pirates of Penzance, The Yeomen of the Guard* a *The Gondoliers*.

Roedd rhaid mynd am wrandawiad i gael rhan unigol, ac yn Rhagfyr 1967 fi gafodd ran Phoebe yn *The Yeomen of the Guard*. Y flwyddyn ganlynol ces ran Casilda yn *The Gondoliers*, ac yn 1969 ran Constance yn *The Sorcerer*. Byddai ambell athro'n cael bod yn rhan o'r cast os oedd ganddo fo neu hi lais canu go dda, a dwi'n cofio'n arbennig i mi gael rhoi clustan i fy athro Arlunio yn un o'r operâu – pleser pur!

I mi, doedd dysgu'r *libretto* ddim yn waith hawdd gan fod y cyfan yn Saesneg, a Mam fyddai'n ymarfer efo fi adra o flaen y tân bob nos am wythnosau. Mi fydden ni'n perfformio am dair noson yn olynol, a byddai neuadd yr ysgol yn orlawn bob nos. Mi faswn i wrth fy modd tasa 'na fideo ar gael o'r perfformiadau, petai ond i'm clywed fy hun yn actio yn Saesneg. Y tristwch ydi mai yn Saesneg roedd rhaid inni berfformio'r adeg honno; mi fydda i'n genfigennus iawn o bobol ifanc heddiw sy'n cael cyfle i fod mewn sioeau cerdd Cymraeg. Ond mae profiadau fel hyn yn amhrisiadwy, ac yn aros yn y cof am byth.

Ro'n i wrth fy modd yn Ysgol Gyfun Llangefni, ac erbyn i mi gyrraedd y Chweched roedd ganddon ni brifathro newydd, Mr Gerald Morgan. Roedd Mr Morgan wedi dysgu Cymraeg, ac wedi bod yn athro yn Ysgol Maes Garmon, Yr Wyddgrug, ac Ysgol Gyfun Aberteifi cyn dod acw. Ro'n i'n gyrru mlaen yn dda efo fo: mor dda, yn wir, nes iddo fo ofyn i mi ddysgu ei fab bach, Rhys, i ganu. Yn rhyfedd iawn, mi ges i'r cyfle i gyfarfod Rhys ryw bum mlynedd yn ôl yn y Steddfod, a chael sgwrs bleserus iawn a hel atgofion. Do'n i ddim wedi'i weld o ers pan oedd o'n bump oed!

Gwersi a chystadlu

Coleg Cerdd Manceinion

Pan o'n i'n un ar bymtheg oed ac yn Ysgol Llangefni, mi ges gyfle i fynd am wrandawiad i Goleg Cerdd Manceinion. Roedd Cyngor Môn ar y pryd yn noddi disgyblion er mwyn iddyn nhw gael hyfforddiant lleisiol a gwersi cerddorol yn y coleg. Roedd dwy o'r ysgol acw, Elen Roberts a Nerys Owen, oedd yn hŷn na fi, wedi bod yn mynd yno bob bore Sadwrn. Ar ôl canu 'Y Gleisiad' ac 'Angels ever bright and fair' yn y gwrandawiad, mi ges inna fy nerbyn.

Ar y pryd ro'n i'n ansicr oeddwn i eisiau mynd yno o gwbl, achos roedd o'n golygu na faswn i'n gallu chwarae hoci i'r ysgol bob dydd Sadwrn, a finna'n gapten y tîm o dan hyfforddiant medrus Diana McBryde (ia, 'na chi – mam Robin McBryde). Wedi ystyried yn ddwys, dyma ddod i'r casgliad bod mwy o ddyfodol i mi ym myd cerdd nag ym myd chwaraeon. Felly, am dair blynedd, mi fues i'n teithio i Fanceinion bob bore Sadwrn, gan godi'n blygeiniol am hanner awr wedi pump i ddal y trên saith o Fangor er mwyn cyrraedd Manceinion ychydig cyn deg.

Mi fydden ni'n cael tacsi o'r orsaf i'r coleg ac yn dechrau ar y gwersi am ddeg, a'r rheiny'n para tan un o'r gloch. Mi fyddwn yn cael gwers biano, gwers leisiol ac yna gwers ar gerddoriaeth yn gyffredinol. Mi fyddai ogla'r coleg yn troi arna i – ogla polish cryf – ac roedd gen i ofn yr athrawes biano am fy mywyd. Un flin a chas oedd hi, wastad yn cwyno mod i heb ymarfer digon. Wrth gwrs, ro'n i hefyd yn dal i gael gwersi gan y dyn bach boliog adra, ac roedd hi'n anodd plesio'r ddau gan fod un yn dweud wrtha i am wneud un peth a'r llall yn dweud i'r gwrthwyneb.

Ar y llaw arall, roedd fy athrawes llais yn annwyl iawn, ac mi ddysgais lawer ganddi sut i gynhyrchu'r llais ac anadlu'n gywir. Ro'n i fel pysgodyn allan o ddŵr yn y gwersi cyffredinol, achos roedd pobol ifanc ddeallus iawn yno oedd yn gwybod llawer am gyfansoddwyr a'r gweithiau mawr. Roeddan nhw'n huawdl dros ben a phawb am y gora'n dangos ei hun ac yn siarad Saesneg crand, felly cau ngheg a gwrando fyddwn i. Ac, yn sicr, mi oedd gen i le i wrando a dysgu er mwyn ehangu fy ngwybodaeth yn y maes yna.

Roedd hi'n ras wyllt i gyrraedd y stesion erbyn hanner awr wedi un i ddal y trên am adra. Yna agor y pecyn brechdanau cig moch neu fy fflasg o gawl, a'u sglaffio'n awchus gan sgwrsio'n braf efo Nerys ac Elen ar hyd y daith. Roeddan ni'n tair yn rhai drwg am ddweud ein barn am bobol fyddai'n eistedd yn ein hymyl – yn dychmygu beth oedd eu gwaith, eu diddordebau, eu teulu, a sut dŷ oedd ganddyn nhw. Roedd hi'n ffordd ddifyr o basio'r amser. Roeddan ni'n disgwyl mai Saesneg oedd iaith pawb oedd yn cychwyn o Fanceinion ar y trên.

Roedd rhyw wraig grand yn eistedd gyferbyn â ni un tro, a ninna'n dweud petha mawr amdani. Yn wir, roedd ein dychymyg wedi mynd dros ben llestri. Wrth godi i fynd oddi ar y trên yng Nghaer, dyma hi'n troi aton ni a dweud: 'Braf iawn eich clywed chi'n siarad Cymraeg, genod. Gyda llaw, athrawes ydw i a dwi'n byw mewn fflat. Hwyl!' Wydden ni ddim beth i'w ddweud, ond mi fuon ni'n chwerthin ar hyd y ffordd adra ac yn trio cofio'r holl betha roeddan ni wedi'u dweud am y graduras.

Am flwyddyn mi fues i'n teithio ar fy mhen fy hun i Fanceinion, gan fod Nerys ac Elen wedi gadael yr ysgol erbyn hynny. Doedd y profiad ddim cystal heb fy nwy ffrind, ac mi ges fy hun mewn trafferth un bore gan i mi gysgu ar y trên a deffro yn rhywle hollol ddiarth. Ffonio adra wedyn mewn panic o'r stesion, a Dad druan yn trio dweud wrtha i beth i'w wneud. Ro'n i wedi hen basio Manceinion, a bu raid cael trên yn ôl yno a chyrraedd y coleg awr yn hwyr.

Steddfota

Mi fyddai Dad wastad yn fy nghyfarfod yn stesion Bangor am hanner awr wedi pedwar ar y pnawniau Sadwrn, ac yna byddai raid rhuthro adra, llyncu tamaid o fwyd, molchi, a ffwrdd â ni am ryw steddfod neu'i gilydd.

Wrth deithio trwy dre Llangefni mi fyddwn yn gorwedd ar hyd sedd gefn y car rhag i'm ffrindia fy ngweld i. Wn i ddim pam, ond weithia byddai ambell un ohonyn nhw'n chwerthin am fy mhen am mod i'n steddfota ar nos Sadwrn, yn hytrach na mynd allan efo nhw i gerdded rownd y dre neu fynd i'r pictiwrs ym Mangor. Prin iawn y byddwn i'n sôn am y penwythnos wrth fy ffrindia, rhag iddyn nhw feddwl mod i'n brolio os byddwn i wedi ennill mewn steddfod. Hwyrach hefyd fod 'na elfen o genfigen ymysg rhai yr adeg honno, gan mod i'n dechrau gwneud mymryn o enw i mi fy hun fel cantores.

Ambell dro, wrth gwrs, mi faswn i wedi mwynhau cael mynd allan efo'r genod ar nos Sadwrn, ond roedd y busnes cystadlu 'ma wedi cael gafael yndda i ac yn sicr wedi cael gafael yn fy rhieni. Roedd hon yn noson allan iddyn nhw, ac roeddan nhw wrth eu boddau'n cyfarfod â phobol wrth fynd 'o steddfod i steddfod', ac yn ymfalchïo yn fy llwyddiant os byddwn yn digwydd ennill.

Yr unig reswm, wir, ro'n i'n mwynhau steddfota cymaint oedd ei fod o'n gyfle i weld ambell hogyn ro'n i'n ei ffansïo. Mi fyddwn wrth fy modd yn cael mynd i steddfodau Bwlchtocyn ac Uwchmynydd i weld hogia Pen Llŷn, neu gystadlu yn erbyn hogia golygus fel Cefin Roberts, Rolant Hughes, Robat Wyn neu Mei Jones. Rhywbeth eilradd oedd y cystadlu i mi; roedd y cymdeithasu'n apelio llawer mwy. Ond mae gen i le i ddiolch i'm rhieni am fy nghludo i'r holl steddfodau dros y blynyddoedd – dyna lle gwnes i fagu hyder, dysgu ennill a cholli, a chyfarfod llu o ffrindia oes.

Roedd cael beirniadaeth gan wahanol feirniaid yn sicr yn beth gwerth chweil, ac yn ffordd wych i mi geisio fy ngwella fy hun ym myd y canu. Mi wyddwn yn iawn pa feirniaid fyddai'n debygol o roi gwobr i mi os byddwn ar fy ngora, ac mi wyddwn hefyd nad oedd gen i obaith cael affliw o ddim gan ambell un arall. Byddwn wrth fy modd os byddai Valerie Ellis, T. J. Williams neu Selyf (D. G. Jones) yn beirniadu, ac roedd cael sylwadau gan bobol fel Meirion Williams, Dr Llifon Hughes-Jones, Arthur Vaughan Williams, Catherine Watkin, Gwyneth Palmer a T. Gwynn Jones yn hynod werthfawr.

Y cyfeilydd bron yn ddi-ffael fyddai Davy Jones, Llanfairfechan – gŵr annwyl a phianydd sensitif na fyddai byth yn cynhyrfu, waeth pa gopi fyddai'n cael ei daflu o'i flaen. Yn ei ddydd mi achubodd Davy Jones sawl canwr oedd yn bygwth mynd ar gyfeiliorn.

Mi gedwais lyfrau'n cofnodi'r holl steddfodau y bûm i ynddyn nhw dros y blynyddoedd, gan nodi'r hyn ro'n i'n ei ganu, y wobr, a'r beirniad . . . ac ambell sylw bach arall fel 'Wedi cael cam!' neu 'Beirniad da yn deall ei waith' neu 'Canu'n sâl, dim hwyl o gwbl'.

Rhyw wobrau digon tila oedd i'w cael yn y chwedegau a dechrau'r saithdegau. Dyma ichi enghraifft neu ddwy: Eisteddfod Carmel, Llanrwst, yn 1968 – 1af am Alaw Werin ('Ar Lan y Môr'), 1af am Unawd Piano ('Sonatina' gan Kabalevsky), ac 2il am Gân Bop ('Hen Ŵr y Lleuad'). Y beirniad oedd T. J. Williams, a chefais gyfanswm o £1 10s 0d (punt a chweugain!). Yna Eisteddfod Bwlchtocyn yn 1971, lle byddai'r cloc bob amser yn troi am yn ôl. Y beirniad y tro hwnnw oedd y Dr Llifon Hughes-Jones, ac rydw i wedi nodi ei fod yn 'hen foi iawn' gan iddo roi 1af i mi ar yr Unawd 15–18 ('I Ble?'), 1af am Alaw Werin ('Ffarwél i Langyfelach Lon'), 1af am Gân Bop ('Hiraeth'), ac 2il am Unawd Cerdd Dant ('Y Negro'). Am hynna i gyd, mi ges i £3 8s 6d.

Roedd hi'n stori wahanol wrth fynd i gystadlu i steddfodau fel rhai Llanbedr Pont Steffan, Pontrhydfendigaid neu Ŵyl Fawr Aberteifi. Roedd tipyn mwy o bres i'w ennill yn y rhain, ond roedd yn costio mwy i fynd yno, wrth gwrs. Ym Mhontrhydfendigaid yn 1973, gyda Dilys Elwyn Edwards a T. J. Williams yn beirniadu, mi ges 1af am ganu Alaw Werin ('Beth yw'r Haf i Mi?') a 3ydd am ganu Baled ('Llangyfelach Lon'). Mi ddois adra'n hapus efo £35 yn fy mhoced!

Dwi'n cofio cystadlu yn Eisteddfod Môn pan o'n i tua pymtheg oed. Roedd hi'n ddiwrnod gwlyb a'r cae lle safai'r babell yn llawn mwd. Yn ôl fy arfer roedd yn rhaid cael mynd am 'y lle chwech' cyn cystadlu, ond ro'n i wedi'i gadael hi braidd yn hwyr cyn mynd. Dyma ruthro allan i chwilio am y tŷ bach, a Dad yn dŵad efo mi i'm helpu dros y mwd gwaetha. Wrth ddod yn ôl mi glywn yr arweinydd yn galw f'enw, ac mi benderfynodd Dad y byddai raid fy nghario dros y cae. Ond och a gwae, do'n i ddim mor ysgafn ag y bûm i, ac mi lithrodd Dad gan fy ngollwng i ganol y baw. Roedd golwg y diawl arna i – ro'n i'n drybola o mhen i'm traed.

Mi geisiais lanhau tipyn o'r mwd oddi ar fy nghoesau a ngwyneb yng nghefn y llwyfan, ond yr hyn a'm gwylltiodd fwya oedd clywed hyfforddwraig un o'r merched oedd yn cystadlu yn fy erbyn yn fy nghyhuddo o fod wedi gwneud hyn yn fwriadol rhag gorfod canu'n gynta ar y llwyfan. Anhygoel! Sôn am gythral cystadlu. Er gwaetha popeth mi es ymlaen i ganu, a'r arweinydd, Charles Williams, yn egluro pam fod golwg arna i fel taswn i wedi bod yn y domen dail. Rywsut neu'i gilydd mi lwyddais i berfformio, ac ennill hefyd!

Ro'n i'n cael cyfle i gwrdd â chymeriadau difyr iawn wrth steddfota, yn enwedig y rhai hŷn oedd yn cystadlu ar ganu emyn neu alaw werin. Dwi'n cofio'n dda leisiau swynol Dan, Trefor Baum, a Tal Griffith o ardal Llithfaen. Ac, wrth gwrs, fedra i ddim peidio â sôn am Llwyn. Roedd hwnnw'n dipyn o gymeriad, a phan fyddai'n dod ymlaen i gystadlu byddai rhai'n estyn am eu ffunenni poced yn barod i'w stwffio i'w cegau rhag chwerthin yn uchel. Roedd gan yr hen fachgan lais unigryw; doedd o ddim yn gallu aros ar unrhyw nodyn yn hir gan fod ganddo wobl a chryndod yn ei lais. Byddai wastad yn cystadlu ar yr Alaw Werin, ac yn amlach na pheidio yn canu 'Ble rwyt ti'n myned, fy ngeneth ffein ddu?' Pan fyddai'n cyrraedd y nodyn ar y gair 'ddu', dyna pryd y bydda fo'n woblo fwya, a phawb, yn cynnwys ambell feirniad, yn cael trafferth cadw wyneb syth. Byddai'r gymeradwyaeth ar ddiwedd ei berfformiad yn fyddarol, ac mae'n siŵr mai dyna pam y byddai Llwyn yn dod yn ei ôl dro ar ôl tro i'r steddfodau bach.

Dwi'n credu mai yn Eisteddfod y Barri yn 1968 y ces i'r llwyddiant cynta yn y Genedlaethol, lle bûm i'n ffodus i ddod yn gynta am ganu'r Unawd Cerdd Dant dan 15 oed. Petawn i heb gadw fy llyfr steddfodau faswn i'n cofio dim, ac mi fyddai'r cwbwl yn un cowdal yn y meddwl.

Ychydig o wobrau cynta ges i yn yr Urdd, achos byddai Cefin Roberts, Einir Wyn (Rhiwlas) neu Andrew O'Neill wastad yn fy nghuro. Ond mi ddois i'n gynta am ganu cerdd dant yn Llanidloes yn 1970.

Wna i mo'ch diflasu chi efo gweddill y cofnodion sydd yn y llyfr bach, dim ond dweud i'r cyfan – boed yn ennill neu golli – fod o fudd aruthrol i mi.

Chwarae tennis, gitâr a phiano

Chwaraeon

Trwy'r cyfnod yn y Chweched Dosbarth yn Ysgol Gyfun Llangefni, ro'n i'n ymroi i bopeth oedd ar fynd yno: yr Urdd, y Clwb Cerdd, steddfod yr ysgol, y gwasanaethau, cyngherddau a chwaraeon – yn enwedig tennis, hoci ac athletau. Efallai na choeliech chi ddim wrth edrych arna i rŵan, ond ro'n i'n ystwyth iawn ers talwm ac yn giamstar ar y ras can metr, ac mi enillais i sawl medal am chwarae tennis hefyd.

Mi fyddai Richard a finna'n chwarae tennis yn aml yng ngardd Eunice a Twm. Doeddan ni ddim yn cael chwarae yn ein gardd ni gan fod Dad yn tyfu cymaint o flodau, ac mor falch ohonyn nhw. Stori arall oedd hi yng ngardd Eunice, ac roedd rhwydd hynt i ni ymarfer ein sgiliau dros y palmant bach oedd yn 'rhannu'r ardd yn ddwy'.

Roedd Richard yn bêl-droediwr arbennig o dda – bu'n chwarae i dîm Prifysgol Cymru. Bu hefyd yn gapten tîm rygbi Gogledd Cymru dan 15 oed, yn ogystal â chynrychioli Sir Fôn mewn ras gyfnewid yng Nghaerdydd. Fel roedd hi'n digwydd bod, roedd y pedwar rhedwr yn y ras gyfnewid ar y pryd yn dod o Ysgol Llangefni. Roedd y gêmau arbennig rheiny i'w gweld ar y teledu, a dwi'n cofio Dad, Mam a finna'n chwilio amdano fo ar y sgrin. Doedd hi'n fawr o gamp dod o hyd iddo fo gan i ni weld un bachgen ar ddechrau'r ras yn cael trafferth efo'i *starting blocks*. Un trwsgwl fuo Richard rioed wrth drio cael trefn ar bethau technegol!

Ro'n inna'n hynod gystadleuol mewn chwaraeon o bob math, yn enwedig hoci a thennis. Roedd hi'n fraint cael bod yn gapten tîm hoci'r ysgol am gyfnod, ond roedd 'na anfantais hefyd o fod yn y fath swydd achos y capten fyddai'n gorfod mynd ar y llwyfan yng ngwasanaeth yr ysgol ar fore Llun i roi adroddiad am y gêm – a hynny, yn anffodus, yn yr iaith fain. Pam na faswn i wedi protestio a mynnu mod i'n cael sgwennu'r adroddiad yn Gymraeg, dwn i ddim!

Petawn i'n cael y siawns o ddewis fy ngyrfa eto, mi faswn i'n sicr yn dewis bod yn chwaraewraig tennis. Ro'n i'n gwirioni ar y gêm, ac yn mynd i lawr i Langefni i chwarae bob cyfle gawn i yn ystod yr haf. Fel dwedais i, mi enillais sawl medal yn y cyfnod yna, ac mae gen i fwy o feddwl o'r rhain nag o unrhyw gwpan a enillais am ganu!

'Mae pawb yn chwarae gitâr'

Dwi'n cofio, wrth baratoi at steddfod yr ysgol unwaith, i hogyn bach dynnu ar odre fy sgert a gofyn i mi, "Nei di ddysgu fi chwara gitâr?' Wyddoch chi pwy oedd yr hogyn bach hwnnw? Wel, neb llai na Tudur Morgan, sy'n gitarydd gwych erbyn hyn, a dydw i ddim yn derbyn y clod am hynny o gwbl achos gitarydd tri chord o'n i, a dyna ydw i o hyd.

Byddwn yn mynd i Glwb Ieuenctid Rhosmeirch, ac yno'n aml, yn y gornel efo'i gitâr, byddai Tony (o'r ddeuawd Tony ac Aloma). Roeddan ni ferched ifanc wedi gwirioni efo'r hogyn penfelyn oedd yn byw yn y pentre, ac yn tyrru o'i gwmpas i'w glywed yn canu. Mi gododd awydd yndda inna i roi cynnig ar gyfansoddi.

Ro'n i hefyd wedi gwirioni mhen efo'r Beatles a Cliff Richard ac roedd fy llofft yn blastar o'u lluniau. Ro'n i'n perthyn i *fan club* Cliff, ac yn derbyn pob math o ohebiaeth a lluniau. Er mwyn dangos fy nghefnogaeth i'r Beatles mi fyddwn yn gwisgo dillad efo lluniau chwilod drostyn nhw, ac yn canu'r holl ganeuon o flaen y drych yn y llofft: 'She Loves You', 'I Want to Hold Your Hand', 'Twist and Shout' ac ati.

Pan o'n i'n rhyw bedair ar ddeg oed mi ges i gitâr, a dyna pryd y dechreuais botsian cyfansoddi. Mi ddysgais ganu'r gitâr trwy ddilyn cyfarwyddiadau mewn llyfr, ond mi es i ddosbarthiadau nos hefyd maes o law, a chael mwy o gyfarwyddyd gan Olwen Jones. Bu hi'n athrawes Gerdd yn ysgol Llangefni am gyfnod pan oedd Arwyn Jones yn sâl. Mi ddysgais lawer yn ei chwmni ac mae gen i barch mawr i'w gwaith fel cyfansoddwraig nifer o ganeuon plant, ac am ei gwybodaeth o fyd alawon gwerin.

Ar ôl imi feistroli digon o gordiau, mi fyddwn yn mynd ati i greu alawon bach syml. Roedd cefnder i Mam, Owen Williams o Walchmai, yn fardd gwlad. Peintiwr oedd o wrth ei alwedigaeth, ac roedd o'n dipyn o gymêr. Petaech chi'n stripio papur wal sawl tŷ ym Môn, dwi'n sicr y byddech chi'n dod o hyd i benillion neu gerddi o'i waith, achos cyn mynd ati i bapuro mi fyddai'n aml yn llunio cerdd neu bennill doniol a'i sgwennu ar y wal. Ato fo y byddwn i'n mynd i gael geiriau ar gyfer rhyw alaw y byddwn wedi'i chyfansoddi. Mi ysgrifennodd nifer o eiriau i'm halawon cynnar, fel 'Hen Ŵr y Lleuad', 'Fy Mini Bach', 'Cymru Fach i Mi' a 'Hen Bethau fy Nain'.

Mi fyddwn yn canu llawer o gwmpas Sir Fôn ddiwedd y chwedegau – yn difyrru'r henoed mewn cartrefi hen bobol neu'n canu i gymdeithasau mewn gwahanol gapeli. Ro'n i hefyd yn cynnal nosweithiau efo Tecwyn Gruffydd (taid y gantores Meinir Gwilym), Sioned, ei ferch, a'r efeilliaid Emyr a Trefor. Mi fyddwn wrth fy modd yn canu cân o'r enw 'Cwch Serch' efo Tecwyn, gan fod ganddo lais tenor ysgafn a swynol ac roedd ein lleisiau ni'n dau'n asio'n berffaith. Yn y cyngherddau cynnar hyn, canu'n ddi-dâl fyddwn i gan amla, ond byddwn yn lwcus weithiau o gael £2 neu focs o siocled.

Dyma'r cyfnod hefyd pan oedd John Lasarus Williams yn ymgeisydd Plaid Cymru ym Môn, ac fe'm mabwysiadodd i fel rhyw fath o fascot iddo yn yr ymgyrch. Mi fyddwn yn mynd efo fo o gwmpas y sir ac yn canu ar y corn siarad wrth deithio yn y car, neu'n canu ar lwyfan wedi iddo fo fod yn areithio.

Disc a Dawn, y Majestic a chwmni recordiau Cambrian

Ym mis Tachwedd 1969 mi ges alwad i fynd am wrandawiad ar gyfer y rhaglen *Disc a Dawn*. Ruth Price oedd y cynhyrchydd, ac mae'n debyg ei bod hi wedi fy nghlywed i'n canu yn y Genedlaethol. Mi genais dair cân iddi o eiriau Yncl Owen ar fy alawon syml i, ac ro'n i wedi gwirioni pan ges wybod mod i'n ddigon da i gael ymddangos ar y rhaglen ar 23 Ionawr 1970.

Erbyn hyn roedd Richard yn y brifysgol yng Nghaerdydd, felly roedd hi'n gyfleus i fy rhieni a finna aros efo fo yn ei fflat ar gyfer recordio *Disc a Dawn*. Digon helbulus oedd y daith honno i lawr i'r de gan i windsgrin y car falu'n siwrwd cyn cyrraedd Dolgellau. Bu'n rhaid chwilio am garej ac aros am hydoedd iddyn nhw ei drwsio cyn mynd ymlaen ar ein taith. Roedd gofyn bod yn stiwdio Llandaf ar y nos Wener i ymarfer, ac yna recordio'r rhaglen yn hen stiwdio Newport Road ar y dydd Sadwrn.

Roedd Mam a fi wedi bod yn siopa ac mi ges ffrog newydd i fynd ar y rhaglen – un streips nefi-blŵ a gwyn. Wyddwn i ddim, a ddwedodd neb rioed wrtha i, fod streips yn hollol anaddas ar gyfer y teledu'r adeg honno. Wedi i'm rhieni fy ngadael yn y stiwdio fore Sadwrn, dyma'r ferch oedd yn gofalu am y gwisgoedd yn gofyn am weld fy ngwisg a dyma finna'n dangos y ffrog â balchder. Ond, o diar, doedd hi'n amlwg ddim yn hapus o gwbl ac aeth â fi i ystafell orlawn o ddilladau o bob math. 'Try this on,' medda hi, gan daflu ata i ryw ffrog sgleiniog fatha'r rhai ro'n i wedi'u gweld ar y *London Palladium* ers talwm. Wisgais i rioed ffasiwn beth cynt nac wedyn, ond honno fu raid i mi ei gwisgo ar y rhaglen. Ro'n i'n poeni beth fydda Mam yn ei feddwl a hitha wedi gwario'i phres prin i brynu'r ffrog arall i mi.

Roedd pobol enwog ar y rhaglen fel Tony ac Aloma, yr Hennessys, y Diliau, yn ogystal â hogyn ifanc o'r enw Ian, a Huw Jones yn cyflwyno. Ro'n i'n bryderus gan fod y rhaglen yn mynd allan yn fyw; ro'n i'n poeni y byddwn yn gwneud camgymeriad o flaen y genedl. Mi fuon ni'n ymarfer trwy'r dydd nes bod popeth yn berffaith ac yn ei le. Mi wnes i ganu'n iawn, am wn i, ond bod golwg sobor o nerfus arna i yn ôl fy nheulu a'm ffrindia. Pan ddaeth fy rhieni i'm nôl, y peth cynta ddwedodd Mam oedd: 'Be ddiawl oeddat ti'n wisgo, d'wad?' Ond mi ges i £30 am ganu ar y rhaglen, felly roedd hynny'n gwneud iawn am fethu cael gwisgo'r ffrog streips.

Dyma'r cyfnod pan oed Idris Charles yn trefnu nosweithiau llawen yn hen sinema'r Majestic yng Nghaernarfon bob nos Sul, ac mi ges wahoddiad i ganu yno wedi iddo nghlywed i ar *Disc a Dawn*. Dyma lle roedd y sêr mawr yn perfformio, ac ro'n i'n teimlo'n freintiedig dros ben. Aeth Eunice ati'n syth i wnïo ffrog i mi – un werdd sgleiniog gwta, gwta, ac mae hi'n dal i hongian yn y wardrob yn y tŷ 'cw. Fedra i yn fy myw feddwl am daflu ambell ddilledyn am ei fod yn dod â chymaint o atgofion yn ôl i mi.

Y tro cynta i mi ymddangos yn y Majestic, ro'n i'n rhannu llwyfan efo Mike Stevens, y Bara Menyn, y Traddodiad, Owain ac Alwen Selway, Alawon Taf ac Idris Charles, a Trefor Selway'n arwain. Roedd cael canu ar lwyfan o'r fath o flaen cymaint o bobol yn wefr i ferch ysgol, ond yn dipyn o hunllef o ran nerfusrwydd. Roedd cyfle yno i gael cerddoriaeth cefndir ar biano ac organ, a'r cyfan wedi'i drefnu'n broffesiynol. Mae nyled i'n fawr i Idris Charles am roi sawl cyfle i mi yn y dyddiau cynnar rheiny. Daeth nifer o gynigion ar ôl hynny i ganu mewn cyngherddau, gan rannu llwyfannau efo Hogia'r Wyddfa, Emyr ac Elwyn, Tony ac Aloma, Hogia Llandegai a llawer mwy.

Yn Awst 1970 mi ges gynnig gan gwmni recordio newydd o'r enw Celtia i wneud EP o bedair cân. Roeddan ni'n recordio mewn tŷ yn y Felinheli, reit ar fin y ffordd fawr. Fel y gallwch ddychmygu, tasa 'na ryw lori neu fŷs mawr yn pasio, sŵn plant yn chwarae neu unrhyw sain arall yn amharu ar y recordio, byddai raid ailganu'r gân i gyd eto. Wn i ddim faint o weithiau y bu raid i mi ganu dwy o'r caneuon yn ystod y dydd, a'r llais yn gwaethygu bob tro.

Felly penderfynwyd recordio'r ddwy gân arall y Sul canlynol yn siop Cranes ym Mangor. Bu raid hefyd ailrecordio'r ddwy gân ro'n i wedi'u canu yn y Felinheli eto, gan fod ansawdd y sain yn hollol wahanol yng nghefn siop Cranes. Ar yr EP mae 'Hen Ŵr y Lleuad', 'Hen Benillion', 'Hywel' a'r 'Mini Bach'. Mi gymerodd hi ddeg awr i recordio'r cyfan, ond bu sawl blwyddyn cyn i'r record fach weld golau dydd.

Roedd hi i fod allan erbyn Nadolig 1970, ond aeth yr ŵyl heibio heb sôn amdani. Trefnwyd wedyn y byddai'n barod erbyn Eisteddfod yr Urdd 1971, ond dim lwc. Doedd gen i ddim syniad beth oedd yn digwydd er imi holi a holi, ond mi ddeallais fod cwmni Celtia wedi trosglwyddo'r recordiad i gwmni Cambrian, a ches addewid gan y cwmni hwnnw y byddai'r record allan erbyn Dolig 1971. Ond aeth y Dolig hwnnw hefyd heibio a'r record yn dal heb ei chyhoeddi. Addawyd wedyn y byddai allan erbyn Eisteddfod yr Urdd 1972, ond erbyn hyn ro'n i wedi colli pob diddordeb ynddi ac yn gobeithio, wir, na fyddai hi byth yn gweld golau ddydd, gan fod arddull fy nghanu wedi newid a'm llais wedi datblygu ac aeddfedu. Dyna fraw ges i, felly, ar faes Steddfod Genedlaethol Dyffryn Clwyd yn Rhuthun yn 1973 wrth weld pobol yn cerdded o gwmpas efo record dan eu ceseiliau ac arni'r enw 'Leah Owen'. Ro'n i'n gandryll fod rhywun wedi fy nghadw yn y niwl am dair blynedd, a ches i 'run geiniog am ei gwneud na breindal am unrhyw werthiant.

Canu a chyfeilio

Ddiwedd y chwedegau a dechrau'r saithdegau ro'n i'n canu tua chwe gwaith y mis ar gyfartaledd – i gymdeithasau hen bobol, nosweithiau i'r Blaid, 'cyngherddau mawreddog' gydag artistiaid amlwg, ac ati.

Yn y cyfnod hwn ro'n i hefyd yn cyfeilio i Gôr Cymysg Bro Goronwy dan arweiniad John Charles Parry, ac yn canu gyda chôr Cyfarwy Gruffydd yn ardal Llandrygarn a chôr John Hughes, Niwbwrch (ewythr Ems o grŵp y Tebot Piws).

Yn ogystal â hyn, mi fyddwn yn mynd efo Mrs Myra Jones

i Fryngwran i gyfeilio i Hogia Bryngwran. Ro'n i'n mwynhau cyfeilio, yn enwedig yng nghwmni Hogia Bryngwran pan gawn fynd i gynnal nosweithiau llawen efo nhw. Roedd y rhain yn nosweithiau llawen go iawn: digon o ganu ysgafn, sgetsys digri ac adroddiadau doniol, gyda Gwilym Price yn arwain ac yn tynnu'r lle i lawr yn ddi-ffael. Nosweithiau difyr a llond bol o chwerthin i'r gynulleidfa.

Yn y cyfnod yma hefyd y dechreuais ganu fel unawdydd gwadd gyda chôr Hogia'r Ddwylan dan arweiniad Menai Williams, Bethesda. Roedd y rhain yn gyngherddau safonol, a sglein bob amser ar eitemau'r côr. Cyfranwyr eraill yng nghyngherddau'r côr fyddai Theodora Jones fel adroddwraig, Nora Jones a Mabel Roberts (mam Gareth a Nia Roberts) yn canu unawdau clasurol, yn ogystal ag eitemau gan ambell aelod o'r côr fel Dafydd Norman. Weithiau byddai Charles Williams neu Trefor Selway yn dod i arwain, ond yn amlach na pheidio, Gwynn Jones, aelod arall o'r côr, fyddai wrthi gyda'i straeon unigryw.

Byddai Theodora wastad yn cloi pob cyngerdd trwy adrodd cerdd syml 'Nos Da' i gyfeiliant Menai ar y delyn, ac mae'r penillion yma wedi aros yn fy ngho' i byth ers hynny:

> I bawb lluddedig yn ein gwlad,
> Nos da, nos da.
> Pob plentyn bach, pob mam a thad,
> Nos da, nos da.
> I Marged yn ei bwthyn llwm
> A'r eira'n disgyn arno'n drwm,
> Doed cwsg yn ysgafn megis gwên
> I newid gwedd ei hwyneb hen,
> Nos da, nos da,

Mae yn hwyrhau,
Nos da.

Mae'r mynydd weithiau megis cawr
Yn dianc i'r tywyllwch mawr,
Ac wyneb lleddf y ddaear sydd
Mor dawel wedi baich y dydd
Yn gwahodd mwyn oleuni'r lloer
I gysgu ar ei mynwes oer.
Nos da, nos da.
Mae yn hwyrhau,
Nos da.

Ar y Cyfandir

Hwyl yn yr Almaen

Mi deithiodd Hogia'r Ddwylan Gymru benbaladr, a thros y ffin, cyn cael gwahoddiad i ganu yn yr Almaen am dair wythnos yn Awst 1974 ar ôl i ŵr o'r enw Alfred Toepfer eu clywed yn canu ym Mhortmeirion un haf. Roedd Dr Toepfer yn ŵr busnes llwyddiannus yn yr Almaen, a byddai'n trefnu i gorau a dawnswyr o wahanol wledydd fynd i aros ger pentre bach Wilsede yn y Lüneburger Heide, y rhostir grugog yng ngogledd y wlad.

Mi deithion ni mewn bws i Harwich a chael cwch dros nos i Hamburg, ond doedd dim ceir yn cael mynd ar gyfyl y rhostir, felly bu'n rhaid i nifer o'r hogia gerdded y filltir ola tra oedd Menai, Nora, fi ac ambell aelod hŷn o'r côr yn cael teithio mewn trol a cheffyl, a'r delyn mewn bocs cadarn y tu ôl inni. Roedd digon o le mewn ffermdy pren inni i gyd, gydag un ystafell fawr yn y canol i ymgynnull i fwyta. Rhyw Sain Ffagan o le oedd o, efo'r hen ffermdai pren 'ma wedi'u hailgodi a'u gwasgaru o gwmpas y lle. Yn yr ardal honno, mae'n debyg, y derbyniwyd ildiad diamod yr Almaenwyr ar derfyn yr Ail Ryfel Byd.

Yn gynnar bob bore byddai cyflenwad o lysiau ffres, llefrith, bara a chrât o gwrw yn disgwyl amdanon ni, ond ni ein hunain oedd yn 'morol am baratoi'r bwyd, felly roedd yn rhaid creu rhyw fath o rota. Penderfynwyd mai pwy

61

bynnag fyddai'n golchi llestri un pryd fyddai'n gyfrifol am baratoi'r pryd nesa. Doeddan ni, ferched, ddim am fod yn forynion bach i'r Hogia am dair wsnos!

Daw un darlun cofiadwy i'r cof o Elwyn Bach yn ei siorts, efo ffunen boced am ei ben a gogls nofio am ei lygaid, yn trio plicio llond pwced o nionod. Doedd rhai o'r Hogia rioed wedi coginio yn eu bywydau o'r blaen ac mi gawson ni sawl pryd trychinebus, ond roedd llawer o hwyl i'w gael, yn enwedig pan fyddai rhai o'r Hogia'n creu rhyw enw crand ar ambell bryd bwyd i drio cuddio'r llanast roeddan nhw wedi'i greu! Roedd pob math o duniau bwyd anferth ar silffoedd y gegin ond y broblem oedd nad oedd ganddon ni ddigon o Almaeneg i ddeall beth oedd ynddyn nhw. Ambell dro mi fydden ni'n agor tun gan ddyfalu mai ffrwythau oedd ynddo fo, ond yn cael syrpréis o'i agor i weld mai oglau tomatos neu gig fyddai'n llenwi'n ffroenau.

Penderfynwyd y bydden ni, ferched, yn fodlon golchi crysau'r Hogia ond na fydden ni'n golchi'u tronsiau na'u sanau nhw! Arthur oedd yr unig un a fynnodd ei fod yn golchi'i ddillad ei hun tra buodd o yno, chwarae teg iddo fo.

Mi fydden ni'n ymgynnull ar y campws i ganu efo pobol o wledydd eraill, ac yno 'run pryd â ni roedd criw o ddawnswyr o Wlad Pwyl ac Awstria a chantorion o Baris. Dwi'n cofio i'r Hogia drefnu gêm bêl-droed un pnawn rhyngddyn nhw a'r criw o Wlad Pwyl, a chael cweir go iawn. Er mwyn ennill tipyn o urddas yn ôl, trefnwyd gêm griced y diwrnod canlynol gan addasu'r rheolau oherwydd bod y lle mor goediog. Yn anffodus, bu'n rhaid dod â'r gêm i ben yn fuan pan drawodd rhywun do gwellt un o'r ffermdai a chwalu nyth cacwn yn yfflon. Sôn am sgrialu, a 'mond lliw tina pawb wrth ddianc i'r ffermdai!

Dim ond un dafarn oedd yn y cyffiniau, ac un noson wrth i ni gydganu'n anffurfiol daeth dau aelod o'r fyddin Brydeinig oedd wedi bod yn gwrando yn y gornel trwy'r nos aton ni i ofyn a fydden ni'n fodlon mynd i wersyll y fyddin i ganu i'r trŵps. Dyma fargeinio yr aem ni yno'r noson ganlynol os caen ni ffish a tships bob un ganddyn nhw! Y noson wedyn dyma gyrraedd y gwersyll a mynd i mewn i'r ystafell lle roeddan ni i berfformio. Prin ro'n i'n gallu gweld o mlaen efo'r holl fwg sigaréts oedd yno, ac roeddan ni i gyd yn poeni sut byddai hyn yn amharu ar ein lleisiau. Ond mi lwyddon ni rywsut, gan bicio allan bob hyn a hyn i gael llond sgyfaint o awyr iach. Ar ddiwedd y noson daeth gwledd o ffish a tships i bawb a dyna'r pryd gora i mi ei flasu erioed. Er, mae'n bosib ei fod o'n blasu'n well ar ôl ambell bryd roedd yr Hogia wedi'i baratoi inni!

Yn y dafarn un noson roeddan ni'n morio canu 'Boneddwr Mawr o'r Bala', a dyma un o'r *waiters* yn gafael mewn gitâr a dechrau ymuno efo ni mewn Almaeneg gan ganu'r union alaw. Mae'n debyg mai'r cyfansoddwr Almaenig Weber a gyfansoddodd yr alaw yn wreiddiol. Sut y daeth hi o'r Almaen i Gymru, wn i ddim.

Mae egluro beth ydi cerdd dant yn anodd yn ein hiaith ein hunain, heb sôn am drio egluro mewn iaith ddiarth, felly mi benderfynodd Menai osod geiriau 'Rhosyn Rhudd' mewn Almaeneg ar y gainc 'Difyrrwch Ieuan y Telynor Dall'. Roedd hyn yn llawer haws na thrio egluro'r grefft, ac roedd yr Hogia'n ei chanu'n fendigedig. Sgwn i oes 'na rywun arall wedi mentro canu cerdd dant mewn Almaeneg erioed? Mi wnes inna ymdrech i gyfansoddi alaw i eiriau Almaeneg – 'Du hast Diamanten und Perlen' – ac wrth gwrs roedd yn rhaid canu hwiangerdd hyfryd Brahms, 'Guten Abend, gute

Nacht'. Roeddan nhw'n gwerthfawrogi'n hymdrechion i ganu yn yr iaith frodorol, ac wrth eu boddau'n clywed ein halawon gwerin traddodiadol ninna.

Mae gen i le mawr i ddiolch i Hogia'r Ddwylan a Menai Williams am roi'r holl gyfleon i mi dros y blynyddoedd. Roeddan nhw wastad yn ofalus iawn ohona i. Roedd fel cael sawl tad neu frawd mawr i edrych ar f'ôl, gyda Menai Williams yn fistar corn arnyn nhwythau bob un.

Gwyliau yn Sbaen

Do'n i rioed wedi bod dramor tan i mi orffen fy arholiadau Lefel A. Cafodd Myra Jones y syniad gwallgo o fynd â thair ohonon ni i Sbaen. Doedd Mrs Jones ddim wedi bod yn dda ers sbel, ond roedd hi'n benderfynol o fynd â Sara Tudor, Menna Jones a finna ar wyliau. Trefnwyd i fynd ym mis Awst 1971 ar ôl Eisteddfod Genedlaethol Bangor, oedd wedi bod yn un lwyddiannus i mi gan imi ennill saith gwobr gynta yno.

Dim ond un peth oedd yn fy mhoeni ynglŷn â'r gwyliau, a hynny oedd yr hedfan. Gan ein bod ni'n teithio ganol nos, mi feddyliais y byddwn yn gallu cysgu ac y byddai'r artaith drosodd cyn i mi gael amser i feddwl. Seddi i dair a dwy oedd ar yr awyren, felly mi gytunais i eistedd gyda rhyw ŵr ifanc er mwyn i'r tair arall eistedd efo'i gilydd a finna gael cysgu.

Ond nid felly y bu! Rhyw awr i mewn i'r daith, mi gyhoeddodd y peilot fod storm ar ei ffordd ac y dylai pawb eistedd i fyny a gwisgo'i wregys. Do'n i ddim wedi'i dynnu fo o gwbl, beth bynnag. O fewn dim dechreuodd yr awyren ysgwyd fel petai ar un o ffyrdd cefn Sir Fôn, ond yn waeth byth dyma'r boi oedd wrth fy ochr yn dechra crio a nadu.

Dyna lle ro'n i'n trio'i gysuro fo a finna ofn am 'y mywyd. Fflachiai'r mellt yn wyllt o'n cwmpas, ac mi feddyliais o ddifri bod y diwedd ar ddod. Ond, diolch byth, tawelodd y storm a dyma lanio'n ddiogel yn Barcelona.

Roeddan ni'n aros mewn tref fechan ar y Costa Brava o'r enw Malgrat de Mar, ac wrth gwrs roedd hi'n chwilboeth yno yng nghanol Awst. Yn rhyfedd iawn, pwy welson ni y diwrnod cynta yno ond Gwilym a Madge Hughes a'r teulu o Fangor.

Roedd Mrs Jones fel hogan ifanc ei hysbryd yn ein canol, yn mwynhau'r hwyl a'r haul er gwaetha'r salwch creulon oedd bellach wedi dechrau sleifio i mewn i'w chorff. A wir, ar wahân i'r bwyd roedd popeth yn wych yno. Mi fuon ni'n blasu gwin, teithio mewn llong o gwmpas y Costa Brava, torheulo a dod i nabod yr hogia lleol. Un y dois i'n dipyn o ffrindia efo fo oedd *waiter* bach del o'r enw Pepi. Roedd o wedi bod yn wincio arna i ers dechrau'r wythnos ac mi fyddai'n dod aton ni i dorheulo ar y traeth bob pnawn. Doedd ganddo fawr ddim Saesneg ond mi ddeallais yn syth un diwrnod be oedd gan y Sbaniard bach dan sylw pan sibrydodd yn 'y nghlust i, '*Mee fookie-fookie you – no bambino.*' Nefoedd yr adar, doedd hyd yn oed ffarmwrs ifanc Sir Fôn rioed wedi dweud y ffasiwn beth wrtha i! 'No wê, 'ngwas i', medda fi wrtho, gan ddod â'r garwriaeth i ben reit handi yn y fan a'r lle. Mae'n siŵr ei fod o'n trio'i lwc efo sawl merch fach ddiniwed fyddai'n mynd draw yno.

Ganol y gwyliau, bu raid i mi ffonio adra i gael fy nghanlyniadau Lefel A. Do'n i ddim yn edrych ymlaen at hynny o gwbl gan y gwyddwn y dylwn fod wedi astudio llawer mwy nag a wnes i. Mi ges wybod mod i wedi pasio Cerdd a Chymraeg ond heb gael llawer o hwyl ar y Saesneg, ond doedd hynny fawr o syndod. Pan es i i'r Chweched ro'n i wedi gobeithio dewis Addysg Grefyddol fel trydydd pwnc, ond oherwydd cyfyngiadau'r amserlen doedd dim modd gwneud hynny. Saesneg oedd yr unig bwnc arall posib i mi, ac mi wyddwn o'r dechrau nad oedd gen i fawr o obaith llwyddo yn hwnnw. Beth bynnag, ro'n i wedi gwneud yn dda mewn Cerdd, a dyna oedd yn bwysig.

Erbyn diwedd y gwyliau doedd Mrs Jones ddim yn teimlo'n dda o gwbl a byddai'n gorffwyso bob cyfle posib. Roedd hi'n amlwg fod rhywbeth mawr yn bod ac roeddan ni'n poeni amdani. Soniodd hi ddim gair am y cansar wrthan ni, achos roedd hi mor awyddus i ni fwynhau'r gwyliau hyd y diwedd. Hyd yn oed yn y maes awyr ar y ffordd adra, bu'n rhaid iddi orwedd gan ei bod mewn cymaint o boen.

Gan mod i'n bryderus am Mrs Jones, ches i ddim cyfle i feddwl am y daith adra yn yr awyren. O leia, chawson ni ddim storm y tro hwn, ac roeddan ni mor falch o gyrraedd er mwyn i Mrs Jones gael y gofal cywir.

Ro'n inna, bellach, yn barod am gyfnod newydd yn fy mywyd.

Prifysgol Bangor

Pa goleg?

Roedd Prifysgol Huddersfield wedi fy nerbyn yn ddiamod i astudio Cerdd, ond i Fangor ro'n i eisiau mynd. Wrth feddwl cymaint roedd Mam wedi hiraethu am Richard tra buodd o yn y coleg yng Nghaerdydd, do'n i ddim am iddi orfod mynd trwy brofiad tebyg eto. Mi ges gyfweliad ym Mangor yn Ionawr 1971, a Frank Thomas, aelod o'r Bangor Trio, yn fy nghyfweld.

Os na chlywsoch chi rioed am y Bangor Trio, gwell i mi esbonio! Arferai un athro yn Ysgol Llangefni ein bygwth y basa fo'n trefnu i'r Bangor Trio ddod i'n diddori os na fydden ni'n bihafio. Doedd fawr neb yn mwynhau gwrando ar y triawd offerynnol hen ffasiwn a arferai deithio ysgolion y gogledd yng nghanol bwrlwm y chwedegau, a ninnau â chaneuon cyffrous y Beatles yn llenwi'n pennau.

Beth bynnag, mi rois fy nhroed reit yn ei chanol hi yn y cyfweliad pan ofynnodd Frank Thomas i mi be oedd fy marn am gerddoriaeth Johann Sebastian Bach. Do'n i rioed wedi bod yn ffan o Bach er i mi feistroli sawl preliwd a ffiwg o'i waith; i mi, roedd ei gerddoriaeth yn rhy fathemategol a threfnus. Felly mi fynegais fy marn yn blwmp ac yn blaen yn fy Saesneg bratiog. Mi wyddwn yn syth pan ddisgynnodd ei wep nad oedd fy ateb wedi'i blesio, a doedd dim ffordd o gael fy hun allan o'r twll. (Yn ddiweddar, mi ddarllenais fod y pianydd enwog Llŷr Williams hefyd yn cael trafferth uniaethu â gwaith Bach, felly dwi ddim yn teimlo mor euog erbyn hyn i mi fynegi fy marn yn onest.)

Daeth llythyr ym mis Ebrill yn datgan fod Coleg Prifysgol Gogledd Cymru, Bangor wedi fy ngwrthod. O na! Byddai raid mynd i Huddersfield, felly. Be ddaeth dros 'y mhen i i roi fanno ar y ffurflen gais o gwbl? Doedd gen i ddim syniad ble roedd Huddersfield i ddechrau, heb sôn am dreulio tair blynedd yno!

Aeth Gerald Morgan, y prifathro, yn wallgo pan glywodd am hyn, a chwarae teg iddo mi drefnodd i mi gael cyfweliad arall. O fewn deuddydd ro'n i'n eistedd yn ystafell yr Athro William Mathias ym Mangor yn cael sgwrs gartrefol – a hynny yn Gymraeg, diolch byth! Roedd o'n ŵr bonheddig ac yn hynod o gyfeillgar. Mi wrandawodd arna i'n canu a chanu'r piano ac mi gynigiodd le imi'n syth, ar yr amod y byddwn yn cael y graddau angenrheidiol.

Tân

Roedd hyn yn galondid mawr gan fod y cyfnod yma wedi bod yn un anodd iawn i ni mewn sawl ffordd. Roedd Dad wedi gorfod mynd i'r ysbyty i gael triniaeth, a bu yno am dros fis. Hefyd, ar yr ugeinfed o Ebrill, tra oedd Anti Grace, chwaer Mam, yn aros acw ar ei gwyliau, roedd wedi mynd i dŷ Eunice (ei chwaer arall) ar draws y ffordd. Ro'n i ar ganol astudio ar gyfer fy arholiadau pan glywais sŵn sgrechian a sterics mawr. Anti Grace oedd yno a'i dwylo i fyny yn rhedeg o dŷ Eunice gan weiddi 'Tân! Tân!' Rhuthrais ar draws y ffordd a gweld fod stafell fyw Eunice ar dân, a hitha ar y llawr wedi llosgi'i hwyneb, ei gwddw a'i breichiau'n arw. Arferai wisgo *overall* neilon ac roedd hwnnw wedi llosgi a glynu dros ei chroen. Bu'n rhaid galw'r injan dân a'r ambiwlans, ac es efo hi i Ysbyty Môn ac Arfon.

Roedd Twm, gŵr Eunice, yn gweithio yn Nhrawsfynydd ar y pryd, felly doedd hi ddim yn hawdd cael gafael arno fo. Roedd Eunice, mae'n debyg, wedi rhoi petrol ar y tân mewn camgymeriad, a'r can wedi chwythu i'w hwyneb. Roedd ei chyflwr yn ddifrifol ac mi gafodd ei symud i Ysbyty Walton yn Lerpwl lle bu'n rhaid grafftio croen ar ei hwyneb a'i breichiau. Roedd llanast mawr yn y tŷ, a bu pawb yn helpu i ailaddurno a chael y lle i drefn cyn i Eunice ddod adra fisoedd yn ddiweddarach.

Byd newydd Bangor

Ar waetha'r Saesneg, roedd fy ngraddau Lefel A yn ddigon da i mi allu mynd i Fangor i astudio ar gyfer gradd BMus, ac ro'n i wrth fy modd.

Y flwyddyn honno, dim ond y fi oedd wedi dewis mynd i Brifysgol Bangor o Langefni, felly dyma gyfle gwych i wneud ffrindia newydd. Ro'n i wedi derbyn llythyr yn ystod gwyliau'r haf yn dweud y byddwn yn rhannu stafell efo merch o'r enw Ann Hopcyn Davies o Abertridwr, ger Caerffili.

Er nad ydi Bangor ond hanner awr o Rosmeirch, roedd yn rhaid pacio popeth fel taswn i'n mynd i ben draw'r byd. Ddechrau mis Hydref, felly, dyma gerdded i mewn i ystafell 10 yn Neuadd Cae Derwen, a Mam a Dad wrth fy nghwt yn llusgo sawl cês. Roedd hi'n ystafell fawr, eang a'i llond o genod yn sgwrsio ac yn chwerthin. Mi gofia i'n iawn mod i'n gwisgo sgert gwta werdd mewn crimplîn a thwin-set werdd – a *biscuit barrel* yn fy llaw. Roedd ffrind i mi wedi dweud fod yn rhaid cael *biscuit barrel* yn y coleg er mwyn cynnig bisgedan i bawb oedd yn galw am baned! Dwi'n cofio hefyd fod y genod eraill i gyd yn gwisgo jîns ac yn edrych yn fodern iawn.

Mi ges groeso mawr ganddyn nhw, ond ro'n i'n cael trafferth eu deall nhw'n siarad gan eu bod i gyd yn dod o'r de. Ar ôl cryn ffysian mi adawodd fy rhieni, a dyma ddechrau dod i nabod fy nheulu bach newydd.

Roedd Ann Hopcyn a finna'n gymeriada hollol wahanol: Ann yn llawn hyder, a finna'n cyntri bymcin go iawn, ac yn sobor o anaeddfed. Ond roedd un peth yn gyffredin rhyngom – roedd y ddwy ohonon ni'n astudio Cerdd, ac yn goron ar y cyfan i mi, roedd Ann yn delynores wych. Buan iawn y dois i i nabod criw o genod o Ruthun: Delyth Parry, Eirian Wynne, Helen Lake a Dilys Morris, ynghyd â Carys Price ac Elin Tudur o ardal Pen-y-groes oedd yn yr ystafell drws nesa. Dyma ddechrau ar sawl cyfeillgarwch oes.

O fewn wythnos roedd y genod wedi mynd â fi i siopa am ddillad newydd, a buan iawn y cafodd y sgert grimplîn a'r twin-set ffling, a'u cyfnewid am bâr o jîns, top *cheesecloth* a chôt newydd. Mae'n rhaid i mi sôn am y gôt arbennig hon achos roedd hi'n wahanol iawn i unrhyw beth wnes i ei wisgo na chynt nac wedyn. Rhyw oren rhydlyd oedd ei lliw, efo dwy res o ffwr gwyn i lawr ei blaen ac o gwmpas yr hwd. Roedd golwg rêl hipi arna i, ond ro'n i'n teimlo mod i'n ffitio'n well efo'r ffrindia newydd trendi 'ma oedd gen i.

Ymhen pythefnos roedd cyngerdd clasurol yn Llangefni ac mi benderfynodd criw ohonon ni o'r Adran Gerdd fynd yno. Mi wyddwn y byddai fy rhieni yno ac ro'n i'n edrych ymlaen at eu gweld nhw. Dyma wisgo fy nillad newydd i fynd i'r cyngerdd, ac yno yn y gynulleidfa mi welwn i Dad a Mam. Mi godais fy llaw arnyn nhw wrth gerdded i mewn ond wnaethon nhw ddim ymateb o gwbl. Mi chwifiais fy nwylo eto, ac o'r diwedd mi sylweddolodd Mam mai fi oedd yno. Roedd yr olwg ar ei hwyneb yn dweud cyfrolau, ac mi ges ddeall pam pan es atyn nhw am sgwrs yn ystod yr egwyl. 'Be gebyst sgen ti amdanat, d'wad?' meddai Mam, a Dad yn gwenu wrth ei hochr. Buan iawn y daethon nhw i arfer â'r Leah newydd, achos roedd gan Mam fwy o ddiddordeb mewn holi o'n i'n bwyta ac yn cysgu'n iawn nag mewn unrhyw beth arall.

Yr Adran Gerdd

Trwy'r Adran Gerdd mi ges gyfle i ymuno â'r Seiriol Singers o dan arweinyddiaeth John Hywel a Sebastian Forbes. Côr o ryw ugain o fyfyrwyr detholedig oedd o, yn creu sain bur a chlinigol – côr Seisnigaidd iawn ond roedd y canu'n ddisgybledig a phroffesiynol. Roedd canu cerddoriaeth gynnar yn beth newydd iawn i mi ac yn ddisgyblaeth dda i'r llais.

Mi gawsom gyfle i grwydro llawer yn cynnal cyngherddau, ac mi gofiaf inni fynd i Lundain un tro i ganu yn y Wigmore Hall. Roedd Ann a fi'n aros efo rhyw ddynes grand ofnadwy a chanddi anferth o gi mawr gwyn. Do'n i ddim yn or-hoff o gŵn a dyma fi'n ei wthio oddi wrtha i, dim ond i gael coblyn o ffrae gan y ddynes grand achos roedd yr hen gi newydd gael triniaeth ac yn diodde!

Erbyn hyn ro'n i'n cael gwersi lleisiol gan Yvonne Mathias, gwraig yr Athro William Mathias, ac roedd hi'n dipyn o gymeriad. Doedd hi ddim yn gallu canu'r piano, felly roedd angen sicrhau bod gen i gyfeilydd i fynd efo fi i'r gwersi. Mi fyddai'n siarad fel melin bupur drwy'r rhan fwya o'r wers, ond mi ddysgais lawer eto am gynhyrchu'r llais a chreu sain bur.

Dim ond pedwar ohonon ni oedd yn astudio trwy gyfrwng y Gymraeg ar gyfer y BMus: Ann Hopcyn o Ysgol Rhydfelen, Dulais Rees o Gaerfyrddin, Arfon Jones o Ddinbych, a finna. Yn Saesneg ro'n i wedi sefyll fy Lefel A er mai Cymraeg oedd iaith y dosbarth yn y gwersi Cerdd yn yr ysgol, felly roedd hi'n braf meddwl y byddwn i o hyn allan yn cael sgwennu fy nhraethodau i gyd yn Gymraeg. Ond roedd sawl problem yn ein hwynebu achos roedd angen llunio termau newydd a'u hychwanegu at lyfryn bach oedd eisoes yn bodoli. Aeth y pedwar ohonon ni ati i greu termau newydd dan oruchwyliaeth John Hywel.

Doedd hi ddim mor hawdd ag ro'n i wedi'i dybio i lunio traethodau gan fod angen cyfieithu popeth, bron, ac roedd defnyddio'r termau newydd yn brofiad diarth i mi. Yn groes i'r ysgol roedd y darlithoedd i gyd yn Saesneg; do'n i ddim yn hyderus o gwbl wrth siarad Saesneg, ac oherwydd hynny prin iawn y byddwn i'n agor fy ngheg i ddatgan unrhyw farn. P'run bynnag, ro'n i'n teimlo'n bysgodyn bach iawn yng nghanol pawb. Dwi'n sicr fod hyn wedi rhoi darlun negyddol iawn ohona i i'r darlithwyr, ac na ddaethon nhw i fy nabod i'n iawn tra o'n i yno. Roedd un darlithydd, John Messenger, yn mynnu fy ngalw'n Lee Owen, a bob tro y byddwn yn trio'i gywiro mi fyddai'n siarad ar fy nhraws neu'n troi ei gefn. Rhoddais y ffidil yn y to a gadael iddo fy ngalw'n Lee am y tair blynedd y bues i yno.

Mae'n rhaid i mi fod yn onest a dweud na wnes i fwynhau'r cwrs ryw lawer. Doedd dim byd yn Gymreig ynddo, ac er i mi fwynhau cyfansoddi dan adain grefftus William Mathias, do'n i ddim yn meddwl y byddai'r hyn roeddan ni'n ei wneud o fawr ddefnydd i mi wedi imi adael y coleg. Erbyn hyn, mae cyrsiau Cerdd yn llawer mwy eang a diddorol ac mae modd astudio Cerddoriaeth trwy gyfrwng y Gymraeg, yn gerddoriaeth werin a llawer o elfennau eraill.

Yn fy nghyfnod i, byddai wedi bod yn llawer gwell petawn i wedi mynd yn syth o'r ysgol i'r Coleg Normal i baratoi ar gyfer bod yn athrawes ysgol gynradd, ond ro'n i'n rhy ifanc. Am ryw reswm dwl, roedd Sir Fôn wedi caniatáu i ni symud o'r cynradd i'r uwchradd flwyddyn yn gynt na gweddill Cymru – felly, er mwyn mynd i'r Coleg Normal, byddai raid i mi fod wedi disgwyl i fod yn ddeunaw. Gan mai dim ond dwy ar bymtheg o'n i ar derfyn fy nghwrs Lefel A, y dewis oedd naill ai cymryd blwyddyn allan (fel mae llawer yn ei wneud erbyn heddiw) neu fynd yn fy ôl i'r ysgol.

Doedd 'run o'r ddau ddewis yn apelio ata i, felly astudio Cerdd yn y brifysgol amdani.

Y rebel fach

Allgyrsiol

Ar waetha'r cwrs Cerdd, rhaid pwysleisio mod i wedi mwynhau bywyd coleg yn arw iawn. Yn ystod yr wythnosau cynta, ro'n i'n dweud 'Be?' byth a hefyd wrth i Ann Hopcyn siarad efo fi gan fod ei hacen mor ddeheuol, ac mi wnaeth hi boster anferth efo'r gair 'Be?' arno a'i sticio ar ffenest ein stafell fel bod pawb oedd yn pasio yn gallu ei weld. Yn fuan wedyn, daeth neges i ni'n dwy fynd i weld y Warden, Miss Locherbie-Cameron, i egluro ystyr y neges gryptig yn y ffenest. Roedd Ann yn gymeriad doniol iawn ac yn llawn syniadau gwreiddiol, ac roedd hi'n anodd cadw wyneb syth wrth i Ann drio egluro i ddynes nad oedd ganddi amgyffred o Gogs a Hwntws ystyr y gair 'Be'.

Rŵan, dwi ddim hyd yn hyn wedi sôn rhyw lawer am fy hoffter o hogia, heblaw am yr hogia fyddai'n cystadlu mewn steddfodau. O edrych yn ôl, dwi'n meddwl fod gen i dipyn o broblem, achos mi fyddwn yn syrthio mewn cariad diniwed yn amlach nag y bydd rhai'n newid eu sanau. Mi fyddwn yn mopio'n lân ac mewn cariad dros 'y mhen a nghlustiau efo rhyw hogyn, ac yna o fewn pythefnos yn cael digon arno a'i ddympio – neu mi fyddai gen i ddau neu dri ar fynd efo'i gilydd. (Hwyrach bod 'na dipyn o waed Catrin o Ferain yndda i!) Aeth hyn ymlaen trwy'r ysgol uwchradd ac wedyn yn y coleg. Wna i mo'ch diflasu chi na chodi c'wilydd arnaf fy hun na nhwythau trwy eu rhestru, dim ond dweud: 'Sori, hogia, am eich trin chi mor wael.'

Dwi'n cofio mynd i drafferth efo Miss Locherbie-Cameron oherwydd un hogyn penodol. Gan fod ystafell Ann a fi mor fawr, roedd pawb yn tueddu i ddod draw am baned ar ôl gadael y dafarn (ac i wledda ar y bisgedi o'r *biscuit barrel*, wrth gwrs). Mae'n rhaid ein bod ni'n fwy swnllyd nag arfer un noson pan ddaeth cnoc ar y drws. Locherbie-Cameron oedd yno'n cwyno, a phwy oedd yn digwydd bod efo ni ond René Griffiths, y canwr o Batagonia; roedd René a fi'n dipyn o ffrindia ar un adeg, a dwi'n cofio mynd â fo adra i Rosmeirch un waith i gyfarfod fy rhieni – roedd Mam wedi panicio'n lân ac yn ofni mod i am fynd i fyw i Batagonia ac na welai hi mohona i byth wedyn.

Beth bynnag, yn ystod fy ngwyliau yn Sbaen, ro'n i wedi gwirioni ar gân oedd i'w chlywed yn ddyddiol ar y cyfryngau yno, 'Que Sera', yn cael ei chanu gan José Feliciano. Mi brynais EP ohoni, ac erbyn hyn ro'n i wedi dysgu'r geiriau'n ffonetig er mwyn ei chanu efo René. Y noson hon yng Nghae Derwen roeddan ni'n cael hwyl yn canu a malu awyr pan gerddodd yr hen Locherbie i mewn. Dechreuodd holi René yn ei Saesneg posh; bu'n rhaid i ni dorri ar ei thraws ac egluro mai dim ond Cymraeg a Sbaeneg roedd o'n ei siarad, ac nad oedd o'n deall Saesneg. Roedd hi'n amheus iawn o'n heglurhad ni, ac fe fynnodd fod pawb yn gadael y funud honno.

Roedd 'na debygrwydd arall rhwng Ann a finna: roeddan ni'n dwy'n sobor o flêr, a'n stafell yng Nghae Derwen fel dymp! Dwi'n credu bod cerddorion, ar y cyfan, yn bobol flêr, ond yn gwybod yn union ble mae popeth yng nghanol y blerwch. Safai telyn Ann yng nghanol y llanast, ac mi fydden ni'n aml yn cael noson lawen fach: Ann ar y delyn, a finna'n canu cerdd dant neu alawon gwerin. Mi fyddai rhai o'r genod yn tynnu arna i ac yn erfyn arna i i ganu 'Hen Bethau fy Nain' o waith Yncl Owen, neu 'Fy Mini Bach', er mwyn cael dipyn o hwyl. Dydi hynny fawr o syndod os darllenwch chi ddim ond un o'r llu penillion:

> Coch yw lliw y mini bychan,
> Coch yw'r cyfars ar y sêt,
> Ac mae'r nymbars gwyn a melyn
> Yn ei wneud mor *up-to-date*;
> Rhaid bod yn ofalus heddiw
> Ar y ffyrdd, ni fyddaf ffôl:
> Y mae gennyf ar y mini
> 'L' tu blaen ac 'L' tu ôl.

Arferai Catrin Edwards ddod draw yn aml efo'i gitâr – hitha, fel Ann, o Ysgol Rhydfelen – i ganu rhai o'i chyfansoddiadau hyfryd; mae ambell un ohonyn nhw bellach wedi'i recordio gan Heather Jones. Penderfynodd Catrin, Ann a finna ffurfio grŵp ar un adeg, a'i alw 'Y Tu Hwnt'; roedd cael bod yn rhan o grŵp yn brofiad newydd i mi, ac ro'n i wrth fy modd.

Mi gawson ni wahoddiad i fynd i Gaerdydd i berfformio ar raglen deledu o'r enw *Cantamil*. Dwi'n cofio'r daith helbulus i lawr i'r de ar y trên, a gorfod cysgu yn stesion Crewe am oriau gan ein bod ni wedi colli'r cysylltiad rhwng dau drên. Mae'n rhaid ein bod ni wedi canu'n dda ar y rhaglen gan i ni gael gwahoddiad arall o fewn ychydig fisoedd i ganu ar *Miri Mawr* – dwi'n cofio i ni ganu cân o'r enw 'Mihangel Llygoden'. Ond rhyw seren wib o grŵp oedd 'Y Tu Hwnt', a fuodd 'na fawr o sôn amdano fo wedyn.

Fel arfer, yn hwyr y nos y byddwn i'n gwneud fy ngwaith. Roedd selar yng Nghae Derwen a hen sgragan o biano ynddi, ac ar honno y byddwn i'n cyfansoddi. Roedd angen cyfansoddiadau ar gyfer pob math o offerynnau, ac weithiau, byddwn yn gorfod trefnu cerddoriaeth ar gyfer cerddorfa neu gyfansoddi yn null cyfansoddwyr eraill. Braidd yn draddodiadol oedd fy nghyfansoddiadau i bob tro gan mod i wedi fy mwydo yn sŵn emynau, cerdd dant ac alawon gwerin, ond roedd William Mathias am i mi fentro mwy a cheisio efelychu cyfansoddwyr mwy cyfoes.

Un noson, felly, dyma benderfynu peidio mynd at yr hen biano yn y selar a rhoi dotiau o nodau yn rwla-rwla ar y maniwsgript. Roedd y cyfan yn edrych yn dda – fel darn o gelf, yn wir – ond doedd gen i ddim syniad sut byddai o'n swnio. Beth bynnag, ar ôl rhoi'r gwaith i mewn dyma gael ymateb yr Athro yn y ddarlith nesa, ac roedd o'n canmol y gwaith i'r cymylau! Rhyfedd o fyd. Rhyw gyfaddawdu fu hi gyda f'ymdrechion o hynny mlaen, gan geisio plesio'r Athro ond cadw elfennau cryf o'r traddodiadol hefyd.

Gan mai dim ond pedwar ohonon ni oedd yn astudio Cerdd trwy gyfrwng y Gymraeg, mi fyddem yn dod at ein gilydd yn aml ac roeddan ni'n ffrindia agos. Yn ystod fy nhymor cynta mi ddois i'n gyfeillgar iawn gyda Dulais Rees. Mae Dulais yn gerddor gwych, ac roedd yn gallu chwarae'r fiola'n arbennig o dda. Un pnawn Sadwrn arbennig, cafodd Ann y syniad o dynnu'i goes.

Y noson arbennig honno roedd Cerddorfa Symffoni Sheffield yn dod i Fangor i berfformio yn Neuadd PJ, ac mi benderfynodd Ann ffonio Dulais gan smalio bod yn drefnydd y gerddorfa. Defnyddiodd lais posh i ofyn iddo a fyddai o'n fodlon chwarae efo'r gerddorfa ar fyr rybudd, gan fod un chwaraewr fiola'n sâl. Nododd yn union pa ddarnau y bydden nhw'n eu chwarae, a gofyn iddo'u cwrdd am bedwar i ymarfer.

O fewn deg munud, roedd Dulais yn rhuthro i Gae Derwen a'i fiola dan ei gesail yn llawn cynnwrf i ddweud yr hanes. Roedd o wedi gwirioni ei fod wedi cael y fath gynnig ond yn poeni fyddai o'n gallu chwarae'r darnau, ac a oedd ganddo grys gwyn glân a thei-bo ar gyfer yr achlysur? Roedd Ann yn actores wych ac yn gallu cadw wyneb syth, ond ro'n i'n cael trafferth mawr. Yn y diwedd, fel roedd o'n gadael, bu raid dweud wrtho mai jôc oedd y cyfan. Dwi ddim yn meddwl ei fod o wedi gweld yr ochr ddoniol o gwbl y diwrnod hwnnw. Sori, Dulais!

Brawd eithafol

Yn fy mlwyddyn gynta mi ddois i'n fwy gweithredol dros Gymdeithas yr Iaith Gymraeg. Ro'n i wedi bod yn aelod pan o'n i yn yr ysgol, ond heb gymryd rhan mewn unrhyw dorcyfraith, heblaw am gynorthwyo Richard fy mrawd yn ystod yr Arwisgo yn '69.

Yn y cyfnod yn arwain at yr halibalŵ roedd Richard wedi cael gwaith dros yr haf yn dreifio bysys Crosville ym Mangor. Rhwng Bangor a Chaernarfon yr arferai ddreifio yn bennaf ond, am ryw reswm, yn ystod wythnos yr Arwisgo, mi newidiwyd ei shifft a bu'n rhaid iddo yrru i gyfeiriad Caer. Y tu ôl i garej Crosville ym Mangor roedd baner Jac yr Undeb wedi'i chodi ar ben y pwll nofio i ddathlu'r Arwisgo, ac roedd hynny fel dangos cadach coch i darw i Richard. Felly, yn hwyr y nos ychydig ddyddiau cyn y gyflafan fawr, mi ddringodd i ben to'r pwll nofio a thynnu'r faner i lawr a'i chuddio yn sied wartheg Dad.

Y diwrnod canlynol daeth cnoc ar y drws, a phwy oedd yno ond plismon bochgoch. Mi welwn wyneb Richard yn gwelwi a gwyddwn yn syth fod rhywbeth o'i le. Dwedodd y plismon ei fod wedi clywed si fod Richard wedi dwyn baner o ben pwll nofio dinas Bangor, ac os gwnâi gyfaddef mai fo wnaeth a'i dychwelyd cyn yr Arwisgo, na fyddai'n cael unrhyw ddirwy na chosb.

Roedd Richard wedi gweld gormod o ffilmiau i goelio'r ffasiwn beth, felly gwadu wnaeth o, a Mam druan yn cadw'i gefn trwy ddweud na fasa fo byth yn gallu dringo i ben y fath le gan fod arno ofn uchder. Gyda'r nos y noson honno, mi gyfaddefodd Richard wrtha i fod y faner yn y sied, a'i fod am i mi fynd efo fo i'w llosgi a chael gwared â'r dystiolaeth. Bu coelcerth ar gae Pwros y noson honno a chlywson ni ddim mwy am y digwyddiad. Mae Mam wedi credu rioed bod Richard yn ddieuog o'r weithred. Feri sori Mam, hen rebal oedd o!

Ar Radio 2

Roedd yr ymgyrch i gael sianel deledu Gymraeg yn ei hanterth ddechrau'r saithdegau, a bu sawl cyfarfod i drefnu protestiadau. Roedd hi'n nesu at Fawrth y cyntaf a threfnwyd bod criw mawr ohonon ni'n mynd i Landudno i dorri ar draws rhaglen Pete Murray, *Open House*, oedd yn rhaglen boblogaidd iawn ar y pryd ar Radio 2, ac a oedd i gael ei darlledu'n fyw o Gymru ar ddydd Gŵyl Dewi.

Tra oedden ni'n ciwio i fynd i mewn i'r theatr yn Llandudno, roedd hi'n amlwg fod nifer o heddlu cudd yno, ac mi ddwedodd Ann wrtha i'n ddistaw bach y byddai'n syniad i ni'n dwy siarad Saesneg efo'n gilydd er mwyn ceisio'u twyllo. Rhwystrwyd gweddill aelodau'r Gymdeithas rhag mynd i mewn, ond doeddan ni ddim yn wynebau cyfarwydd; o ganlyniad, cafodd Ann a fi fynediad didrafferth wrth sgwrsio yn ein Saesneg crand. Dyma ddod o hyd i sedd yn y theatr fawr, oedd dan ei sang o bobol yn ysu am gael cyfarfod y dyn ei hun, Pete Murray.

Wedi i ni'n dwy frolio'n gilydd am fedru cael mynediad, dyma sylweddoli y byddai'n rhaid i ni wneud rhywbeth ar ran y Gymdeithas i dynnu sylw at yr ymgyrch i gael Sianel Deledu Gymraeg. Doeddan ni erioed wedi gwneud y fath beth o'r blaen, ond fedren ni ddim eistedd yno heb wneud neu ddweud rhywbeth yn ystod y rhaglen fyw!

Mi ddechreuodd y rhaglen ac mi sylwon ni fod Pete Murray'n gwahodd cyplau i fynd ar y llwyfan bob hyn a hyn i gymryd rhan mewn rhyw gystadlaethau. Dyma benderfynu, felly, y tro nesa y byddai o'n gwahodd cwpwl ymlaen, y bydden ni'n dwy'n codi ac yn cerdded i'r llwyfan. Yn ystod y gân, roedd fy nghalon i'n curo fel gordd ond ro'n i'n benderfynol, hefyd, mod i am wneud fy rhan dros y Gymdeithas.

Daeth y gân i ben a dyma ni'n dwy'n codi a cherdded yn hamddenol i fyny i'r llwyfan. Dyma wenu'n ddel ar Pete Murray, gafael yn ei feicroffon a bloeddio 'Sianel Gymraeg yn awr! Sianel Gymraeg yn awr!' Doedd y dyn druan ddim yn gwybod be oedd yn digwydd. Rhuthrodd nifer o heddlu cudd i'r llwyfan a'n llusgo i lawr drwy'r gynulleidfa. Roedd llawer o hen ferchaid yn ein labio efo'u bagiau llaw ac yn gweiddi geiriau anweddus arnon ni. Lluchiwyd ni fel dwy sach o datws ar y pafin i floeddiadau cefnogol gweddill y criw, oedd wedi clywed y cyfan yn fyw ar y radio. Roeddan ni'n dwy wedi'u plesio nhw, o leia, ac ro'n i'n teimlo mod i wedi gwneud rhywbeth o werth dros fy ngwlad er mai gweithred fechan oedd hi.

Yn y *Daily Mail* y bore wedyn, roedd penawdau mawr: 'When rebels called on *Open House*' a 'Millions hear Welsh slogans'. Roedd llun o'r ddwy ohonon ni'n cael ein llusgo trwy'r gynulleidfa gan chwe heddwas. Mewn difri, oedd angen chwech ohonyn nhw i gario dwy ferch ifanc ysgafn?

Ar y mast

Roedd y brotest wedi fy neffro i ac wedi gwneud i mi sylweddoli bod llawer mwy y gallwn ei wneud dros yr iaith, felly dyma ddechrau cynllunio at y brotest nesa. Y bwriad oedd torri i mewn i orsaf trosglwyddydd Nebo, ger Pen-y-groes, a diffodd y cysylltiad fel bod cartrefi'r gogledd yn colli sain a llun eu teledu. Bu naw ohonon ni'n cyfarfod i gynllwynio'r weithred am fisoedd ymlaen llaw, gan geisio sicrhau na fyddai canlyniad ein gweithred yn peryglu bywyd unrhyw un. Y naw oedd Nia Edwards (fy mhartner canu, gynt), Carys Price, Arfon Wyn (o'r Moniars wedyn), John Glyn, David Roberts, Keith Williams, Dafydd Owen, Eifion Williams a finna.

Roedd hi'n ddiwedd tymor ym mis Mawrth pan aethon ni draw i Nebo yn hwyr y nos a thorri i mewn i'r trosglwyddydd. Digwyddodd popeth yn union fel roeddan ni wedi'i gynllunio, ac mi gysyllton ni â'r heddlu'n syth i ddweud ein bod ni wedi gweithredu. Wedyn mi gawson ni'n cludo i lawr i swyddfa'r heddlu yng Nghaernarfon i gael ein holi ac i gymryd olion ein bysedd.

Roedd y profiad yma'n ddiarth iawn i mi ond eto, ro'n i'n falch mod i wedi bod yn rhan o'r weithred. Wrth gwrs, bu achos llys ac mi gafodd y naw ohonon ni ddirwy a chostau am falurio drws yr adeilad wrth dorri i mewn iddo. Wn i ddim hyd heddiw pwy, ond mi dalodd rhywun fy nirwy. Mi sicrhaodd fy rhieni fi nad y nhw wnaeth.

Daeth nifer o gefnogwyr y Gymdeithas i'r llys y diwrnod hwnnw, ac yn ôl yr arfer, mi ddechreuodd pawb ganu'r anthem genedlaethol dan arweiniad Dafydd Iwan. Ymunodd pawb yn y canu: yr heddlu, yr ynadon, y cyfreithwyr – pawb, wir, ond y Prif Arolygydd, er iddo yntau sefyll ar ei draed. Bu cryn helynt wedyn o achos y canu yn y llys, a doedd yr Arglwydd Hailsham ddim yn hapus o gwbl pan glywodd yr hanes. Bu pennawd yn y *Daily Express* y diwrnod canlynol: 'Singing JPs start a row'.

Rhyw brotestio'n dorfol fues i o hynny mlaen – cario placardiau ac ati, a chefnogi eraill – gan fod rhaid canol-bwyntio ar gael gradd!

Canlyn go iawn!

Cyfarfod Port

Fel y soniais o'r blaen, ro'n i wedi cael sawl cariad cyn hyn, a'r rheiny'n garwriaethau digon diniwed a byrhoedlog. Ond ro'n i wedi sylwi ar un hogyn ifanc ers tro – hogyn pryd tywyll efo llygaid glas, mwstásh bach taclus a locsyn clust gwerth galw 'chi' arno fo. Arferwn ei weld yn steddfodau'r Urdd a'r Genedlaethol, yn gweithio gyda chwmni teledu HTV, ac yn aml mi fyddai'n eistedd yn y sedd flaen pan fyddwn i'n ddigon ffodus o fod wedi cael llwyfan. Os byddwn wedi ennill, yna fo fyddai'n fy nghludo i'r stiwdio i ganu ar y rhaglen fyw gyda'r nos. Roeddwn yn ei weld o'n hogyn golygus a chlên iawn bob amser, ond ar y pryd wyddwn i ddim byd amdano fo, ddim hyd yn oed ei enw. Yn ddiweddarach, ar ôl i ni gael teledu adra, ryw noson mi welais i'r un hogyn yn cyflwyno newyddion *Y Dydd*. Ar ôl hynny mi fues i'n gwylio'r rhaglen yn selog bob nos er mwyn cael cip arno.

Tua diwedd fy ail flwyddyn yn y coleg mi sylwais fod yr hogyn ifanc yma'n dod i'r Glob ym Mangor Ucha bron bob penwythnos, ac yn chwarae darts efo'r hogia (a'r darlledwr T. Glynne Davies yn eu plith). Dyma ddeall mai dod i Fangor i weld ei gariad roedd yr hogyn ifanc, felly dyma ffarwelio â'r syniad rhamantus oedd wedi dechrau chwarae ar fy meddwl. Beth bynnag, ar y pryd ro'n i wedi dechrau dod yn ffrindia agos efo Alun Ffred, felly gwell oedd canolbwyntio arno fo!

Ymhen rhyw ddeufis roedd parti mawr yn Nhreddafydd, tŷ criw o fyfyrwyr ym Mangor Ucha, ac yno eto, dyma ddod ar draws hogyn y locsyn clust a'r mwstásh. Ro'n i'n sicr ei fod o'n fflyrtio efo fi, ac yn wir, mi ofynnodd i mi fynd am dro efo fo. Dyma ddeall bod ei garwriaeth arall wedi dod i ben, a chan nad oedd perthynas Ffred a finna'n mynd i unlle, dyma dderbyn ei wahoddiad.

Dyna ddechrau perthynas oes efo Eifion Lloyd Jones. Arferai pawb ei alw'n 'Port', am y rheswm amlwg ei fod yn byw ym Mhorthmadog, er ei fod o wedi'i eni yn Felin-fach, ger Aberaeron. Un o Lechryd yn ne Ceredigion oedd ei fam, a'i dad yn dod o Dalsarnau. Hogyn tŷ cownsil oedd yntau hefyd. Cyd-ddigwyddiad rhyfeddol arall oedd bod Eifion a finna'n rhannu'r un diwrnod pen-blwydd – y trydydd ar ddeg o Hydref – ond ei fod o'n llawer hŷn na fi, wrth gwrs!

Dwi'n cofio dweud wrth fy rhieni un noson, wrth inni wylio *Y Dydd* ar y teledu:

'Wyddoch chi hwn sy'n darllan y newyddion? Wel, dwi wedi dod yn dipyn o ffrindia efo fo.'

Ymateb Dad yn syth oedd:

'Watshia di'r hogia telifishion 'ma!'

Colli Myra Jones

Roedd Mrs Myra Jones bellach yn ddifrifol wael, ac wedi mynd i dreulio'i dyddiau ola 'nôl yn y de ym mhentre bach Tanglwst ger Capel Iwan gyda'i chyfnither, Rhiannon Howells – hithau hefyd wedi'n gadael erbyn hyn.

Mi es i i lawr i weld Mrs Jones ddechrau Mai 1973. Roedd hi'n amlwg mewn poen difrifol ond eto roedd y wên siriol yn dal yno. Mi fyddai wastad yn mwynhau clywed ein hynt a'n helyntion carwriaethol, ac eglurais mod i wedi cyfarfod ag Eifion. Mi wenodd, gan ddweud ei bod yn cymeradwyo fy newis, ac yn gresynu na fyddai'n gallu ei gyfarfod.

Fis union wedi i mi fod yn ei gweld, daeth y newydd ei bod wedi marw. Roedd pawb yn dweud yr hen ystrydeb, 'Roedd hi'n fendith iddi gael mynd' – ac oedd, mi oedd hi'n fendith iddi gael gwared â'r poenau, ond dim ond hanner cant a phedwar oedd hi, ac roedd ganddi gymaint mwy i'w roi i genedlaethau o blant a phobol ifanc.

Ro'n i ar ganol fy arholiadau yn y coleg ar y pryd ac wedi mynd i deimlo'n isel iawn. Ro'n i wedi colli rhan bwysig o mywyd – person a oedd wedi rhoi cymaint o'i hamser i mi, a hynny heb dderbyn ceiniog am ei llafur dros yr holl flynyddoedd. Oni bai am Mrs Jones, fyddwn i ddim wedi cael yr holl brofiadau gwych mewn steddfodau bach a mawr dros Gymru gyfan. Hi ddysgodd bron bopeth i mi am ganu o bob math. Hi ddysgodd fi i werthfawrogi barddoniaeth, a'r gelfyddyd o guddio celfyddyd; hi hefyd a'm dysgodd i ennill a cholli'n urddasol. Roedd fy mywyd i'n deilchion.

Daeth cannoedd i'w hangladd yng Nghapel Clawdd Coch yn Nhanglwst, y rhan fwya'n bobol ifanc fel fi. Pawb yn teimlo'r golled a phawb yn drist fod person mor annwyl wedi'n gadael. Mi fydden ni i gyd yn colli bywiogrwydd ei llygaid a'i hysbryd hwyliog. Yng ngeiriau T. James Jones, 'Roedd hi'n un o'r eneidiau prin sy'n haeddu'i chofio fel un o ferched mwyaf athrylithgar ein cenedl.'

Dyma englyn y Parchedig Brinley Thomas iddi:

Fu'n ben ar lwyfan beunydd – yn niwl tew
  Gwelwyd dur ei deunydd;
  Daeth i ran y Gwinllannydd
  Hawlio'i dwyn ar ganol dydd.

Roedd rhyw wacter mawr yn fy mywyd i wedi colli Myra Jones. Pwy oedd yn mynd i ddal ati hefo'i gwaith da? Pwy oedd yn mynd i hyfforddi'r partïon? Pwy oedd yn mynd i wneud y gosodiadau? Pwy oedd yn mynd i egluro a dehongli'r holl farddoniaeth?

Roedd hi'n ddiwedd Mehefin pan ddaeth Gareth Mitford Williams a finna at ein gilydd a phenderfynu y byddai'r ddau ohonon ni'n rhoi cynnig ar osod geiriau R. Bryn Williams, 'Patagonia', ar y gainc 'Ymadawiad y Brenin' ar gyfer Eisteddfod Genedlaethol Dyffryn Clwyd ymhen y mis. Roedd y cwpan, sef Cwpan Môn, wedi'i hennill bum gwaith yn olynol gan ein parti ni, Parti'r Felin, ac felly roedd yn rhaid i ni roi cynnig arni. Bu cryn grafu pen a ffonio hwn a'r llall i ofyn am gyngor, ond mi ddaethon ni i ben â hi rywsut, a dyma gasglu'r criw at ei gilydd a dechrau ymarfer.

Mi allwch ddychmygu'n llawenydd pan ddaeth Parti'r Felin i'r brig yn Rhuthun ac ennill y gystadleuaeth Parti Cerdd Dant dan 21 oed, a chario Cwpan Môn adra efo ni unwaith eto. Fu dim troi'n ôl wedyn i Gareth a finna. Mae Cwpan Môn wedi dod i'm meddiant i ddeg gwaith yn ystod y blynyddoedd diwetha 'ma wrth hyfforddi partïon o Ysgol Glan Clwyd, Parti'r Ynys o Rosmeirch ac, yn ddiweddar, Parti Dyffryn Clwyd.

Mi fyddai Myra Jones yn hynod o falch, dwi'n siŵr, fod Gareth a finna a sawl aelod arall o Barti'r Felin wedi ceisio parhau â'i gwaith da hi. Ond colled fawr arall i lawer ohonon ni oedd colli Gareth mor greulon o gynnar yn 1982 yn 31 oed – yntau hefyd â chymaint i'w gynnig i gerddoriaeth yng Nghymru.

Steddfod Alan Llwyd

Yn ystod y Steddfod honno ro'n i'n rhannu carafán efo Sara Tudor a'r chwiorydd Glenys a Jane Margaret. Roedd ganddon ni doiled y tu allan i'r garafán mewn pabell fach ar wahân, ond ar ôl tywydd garw un noson doedd dim golwg o'r babell fach na'r toiled erbyn y bore. Welson ni byth mohonyn nhw. Diolch nad oedd neb ar yr orsedd ar y pryd!

Yn Steddfod Rhuthun, hefyd, y gwnaeth Alan Llwyd y gamp ddwbwl o ennill y Goron a'r Gadair. Roedd Eifion yn cyflwyno rhaglenni HTV yn y Steddfod, a dyma'r cynhyrchydd, Gwilym Owen, yn gofyn i Menai Williams osod rhan o awdl wych Alan, 'Cerdd i Hil Wen', y munud y daeth y *Cyfansoddiadau* i'r golwg. Finna wedyn yn ei dysgu hi'r noson honno a'i pherfformio'n fyw ar y rhaglen y bore wedyn. Mi fues i'n effro'r rhan fwya o'r nos yn ei dysgu, achos doedd dim *autocue* ar gael ar y maes y dyddiau hynny i'm helpu. Yn ddiweddarach, mi recordiais y detholiad yma o'r awdl ar record hir, ac mae gen i le i ddiolch unwaith eto i Menai am chwip o osodiad.

Roeddan ni'n pedair yn y garafán ar y nos Wener pan roddodd Sara sgrech wrth weld Eifion a'i ffrind o Lŷn, y bardd dwbl, yn dod ar draws y maes carafannau i gyfeiriad ein carafán fach dila, ddidoiled ni. Roeddan ni wedi panicio'n lân ac yn trio clirio a lluchio popeth i wneud lle i'r prifardd ddod i mewn. Chafodd Eifion druan fawr o sylw. Dwi'n cofio i ni agor tun o sbam iddyn nhw i swper, a thun o fefus fel trît i bwdin. Cafodd Alan Llwyd ei drin fel brenin ganddon ni'r noson honno.

Yn ogystal â chystadlu yn Steddfod Rhuthun, ro'n i hefyd yn canu mewn sawl cyngerdd gan gynnwys noson lawen Cymdeithas yr Iaith, 'Tafodau Tân', ym Mhafiliwn Corwen. Roedd hon yn noson gofiadwy iawn a'r hen bafiliwn dan ei sang. Huw Ceredig a'i gryglais oedd yn arwain, a'r artistiaid eraill oedd Hergest, Dafydd Iwan, Huw Jones, Sidan, Elfed Lewis, Ac Eraill, Arfon Gwilym – ac, yn perfformio am y tro cynta, Edward H. Dafis. Fe recordiwyd y noson ac mae'r LP yn un dwi'n ei thrysori'n fawr.

Yr hogyn telifishion 'na

Ar ôl crwydro am fisoedd yn ôl a blaen o Gaerdydd i ngweld i bob penwythnos, daeth cyfle i Eifion geisio am swydd fel gohebydd rhaglen *Y Dydd* yn y gogledd. Bu'n ddigon ffodus i'w chael a dechrau ar ei waith yn Ionawr 1974, a'i swyddfa wedi'i lleoli, yn gyfleus iawn, ym Mangor.

Ymgartrefodd mewn tŷ yn y Felinheli oedd yn edrych draw dros y Fenai ar yr ynys brydfertha yn y byd. Buan iawn y trodd 17 Lôn Llwyn yn gartre bach del a chysurus, a ches inna roi fy marn ar ambell ddodrefnyn a phapur wal. Yn wir, mi beintiodd ac mi bapurodd Eifion y tŷ i gyd o'r nenfwd i'r drysau – yr unig dro rioed iddo wneud unrhyw beintio a phapuro! Daeth Alun Rhys, ei gefnder, a oedd ar y pryd ym Mhrifysgol Mangor, ato fel lojar. Rhyfedd fel y bu i Alun wedyn ddilyn Eifion i fyd y cyfryngau, ac mae o wedi bod yn ohebydd i Radio Cymru am ddeng mlynedd ar hugain bellach.

Roedd ein perthynas ni'n dau yn datblygu'n reit ddel, ac Eifion yn cymryd diddordeb mawr yn fy nghanu a'r bywyd eisteddfodol oedd mor bwysig i mi. Mi ddechreuodd sgwennu geiriau ar fy nghyfer, a finna wedyn yn cyfansoddi alawon iddyn nhw.

Y gân gynta iddo'i sgwennu i mi oedd 'Y Rhyd', wedi iddo fod yn cyflwyno rhaglen materion cyfoes *Yr Wythnos* am y ffaith bod y Cymry ola'n gadael pentre Rhydcyffiniau, ger Llanfrothen yn Sir Feirionnydd:

Lle bu Rhufeiniaid fore'r byd
Yn llunio crud i'r oesau,
Mae ugain canrif heddiw'n hedd
Y bedd yn Rhydcyffiniau.

Lle bu t'wysogion Gwynedd gynt
Yn gwarchod hynt yr erwau,
'Tir neb' sydd eto'r dyddiau hyn
Ar fryncyn Rhydcyffiniau.

Lle bu esgidiau hoelion mawr
Yn llusgo i lawr o'r Blaenau,
Dieithriaid mewn moduron swel
Yw'r ffel sy'n Rhydcyffiniau.

Lle bu direidi ym mhob hin
A chwerthin wrth wneud drygau,
Ar Suliau haf yr acen fain
Yw'r sain o Rydcyffiniau.

> *Cytgan*
> Daeth tro ar fyd
> Ym mhentre Rhyd;
> Cartrefi gwag, aelwydydd mud.
> Aelwydydd mud.

Y rhain oedd y geiriau cynta o nifer, wrth gwrs. Eifion oedd, ac sydd yn dal i fod, yn gyfrifol am lawer o nghaneuon, gan gynnwys 'Gwanwyn Penrhyn Llŷn', 'Y Ddeilen Hon', 'Breuddwydio', 'Pan fyddi gyda mi', 'Gwyn dy fyd', 'Glesni Môn', 'Dim ond Llun', 'Llywelyn' ac 'Unwaith eto i ti', ac enwi dim ond rhai ohonyn nhw.

Dwi'n gwerthfawrogi hyn ac yn teimlo'n lwcus iawn, o edrych yn ôl, mod i wedi cael cariad o fardd – er nad ydi o'n ystyried ei hun yn un!

Dysgu a phriodi

Rhwng rhagbrawf a llwyfan

Eisteddfod Genedlaethol Caerfyrddin oedd hi, a Glenys Ann a finna'n cystadlu ar y Ddeuawd Cerdd Dant dan 21. Roedd y ddwy ohonon ni wedi cystadlu ac ennill llawer efo'n gilydd fel triawd cerdd dant efo Jane Margaret, chwaer Glenys.

Fel arfer, Jane Margaret fyddai partner deuawd Glenys, ond gan fod Margaret ar fin priodi ac yng nghanol y trefniadau ar gyfer y briodas, mi ddois i i lenwi'r bwlch. Y darn prawf oedd 'Cofio S. B. Jones' gan Jac Evans ar y gainc 'Mwynder Llinos'. Mi gawson ni hwyl dda arni yn y rhagbrawf, ond ro'n i wedi sylwi bod pawb arall yn canu un llinell yn yr ail bennill yn wahanol i ni.

Ar ôl deall ein bod ni wedi cael llwyfan, ro'n i'n poeni braidd am y llinell arbennig yma, a dyma fynd i chwilio am Eifion i wirio'r gynghanedd. Ro'n i'n dibynnu llawer ar fy nghlust yr adeg honno wrth osod cynganeddion, a fawr callach beth oedd y gwahaniaeth rhwng cynghanedd lusg a chynghanedd sain. Dyma ddeall ganddo fo'n syth fod camgymeriad yn y ffordd roedd y llinell wedi'i gosod, a fy mai i oedd hynny. Dim ond cwta awr oedd 'na cyn inni ymddangos ar y llwyfan ac mi wyddwn mai trydydd fydden ni os na wnaem rywbeth ar frys. Dyma fynd i ben pella'r cae y tu ôl i ryw babell a thrio rhoi nodau ac acenion newydd i'r gosodiad, a'i ymarfer drosodd a throsodd.

91

Pan ddaeth yn adeg ymddangos ar y llwyfan roedd y ddwy ohonon ni braidd yn nerfus, ac yn gweddïo y bydden ni'n gallu cofio'r nodau a'r acenion newydd. Wrth inni ganu'r ail bennill roedd beiros y ddau feirniad yn barod i gylchu'r camgymeriad ar eu copi – ond fu dim rhaid iddyn nhw. Mi fasa'n werth i chi weld eu hwynebau nhw! Y ddau'n edrych ar ei gilydd mewn anghrediniaeth. Mi aethon ni trwy'r pennill fel tasa dim byd yn bod, er ein bod yn chwysu chwartiau. Petaen ni ddim wedi addasu'r gosodiad, trydydd fasan ni wedi'i gael, siŵr o fod, ond mi gawson ni'r wobr gynta.

Os cofia i'n iawn, Robin Evans a Gerallt Jones ddaeth yn ail. Wn i ddim oeddan ni'n torri unrhyw reol wrth wneud hyn, ond p'run bynnag, sori hogia!

Troi tua'r Normal

Trwy ryw wyrth mi lwyddais i gael gradd BMus o Fangor, er i mi ddal ati i steddfota a chanu mewn cyngherddau dros y misoedd yn arwain at yr arholiadau. Ac yn yr arholiadau terfynol, anodd iawn oedd ceisio cyfansoddi yng nghanol ugeiniau o fyfyrwyr yn Neuadd PJ, heb na phiano na dim; doedd hi ddim yn hawdd cael gafael ar unrhyw fath o awen o dan y fath amgylchiadau.

Ro'n i wedi mwynhau'r tair blynedd o gymdeithasu, ond bellach yn barod i symud mlaen a chamu dros y ffordd i'r Coleg Normal i ddysgu sut i fod yn athrawes ysgol gynradd. Dyna oedd fy mreuddwyd i wedi bod erioed, ac ro'n i eisoes wedi dechrau hyfforddi plant i ganu yn Rhosmeirch ar benwythnosau, ac yn mwynhau'r profiad yn arw.

Felly, roedd rhaid ffarwelio â neuadd breswyl Cae Derwen lle bûm i'n lletya am dair blynedd, a symud i Dreddafydd ym Mangor Ucha efo wyth o'm ffrindia: Delyth Parry, Carys

Price, Helen Lake, Eirian Wynne, Delyth James, Dilys Morris, Helen Harries a Marian Beech. Dr Tudur Jones a'i wraig oedd yn berchen y tŷ trillawr oedd wedi'i addasu i fyfyrwyr fyw ynddo, ac roedd Delyth Parry a finna'n rhannu clamp o stafell oedd yn edrych i lawr dros ddinas Bangor. Mi gawson ni sawl parti gwyllt yn Nhreddafydd, a'r hen wraig oedd yn byw y drws nesa i ni, druan ohoni, yn cael bywyd digon anodd a ninna'n cadw sŵn tan oriau mân y bore.

Roedd y cwrs yn y Normal yn un dwys iawn, ac roeddan ni'n cael ein taflu i'r pen dwfn yn syth. Ond roedd hi'n braf cael cyfle i wneud ffrindia newydd eto – yn eu plith, Mari Gwilym ac Ieuan ap Siôn. Roedd (ac mae) Ieuan yn ganwr da, ac yn dipyn o gymeriad. Fe'i magwyd yn Sir y Fflint, a byddai'n galw pawb (yn cynnwys y darlithwyr) yn 'ti', ac yn mwydro am ryw 'nene' bob munud!

Byddai Mari Gwilym yn troi pob sefyllfa'n ddrama. Dwi'n cofio'r chwerthin mewn un ddarlith wrth iddi sôn amdani'i hun ar ben cadair mewn rhyw ddosbarth yn trio sgwennu ar y bwrdd du (ia, du oeddan nhw'r adeg honno). Gan ei bod hi mor fyr roedd hi'n methu cyrraedd y top, a'r plant yn chwerthin am ei phen. Chwerthin oedd hitha, hefyd!

Yn y ddarlith Fathemateg gynta mi roddodd y darlithydd, Dafydd Morris Jones, brawf i ni. Anghofia i byth y panic ddaeth drosta i, achos do'n i ddim wedi gwneud yr un sym ers i mi sefyll fy Lefel O saith mlynedd ynghynt. Ro'n i'n dal i gofio fy nhablau'r tu chwith allan, ond unwaith y dechreuodd o roi problemau pen i ni, ro'n i ar goll yn llwyr. Aeth y brên yn syth i'r gêr isa, neu'n wir i niwtral! Roedd canlyniad y prawf yn drychinebus, a daeth c'wilydd mawr drosta i o gofio bod fy mrawd erbyn hynny'n athro Mathemateg yn Ysgol Uwchradd Caergybi. Do'n i ddim yn teimlo mod i'n gymwys i ddysgu plant efo'r fath ganlyniad, felly es ati i loywi fy sgiliau ac ailymweld â'r pwnc cyn wynebu dosbarth o blant. Hyd heddiw, dwi'n dal i gynhyrfu os bydd rhywun yn fy rhoi ar y sbot i wneud unrhyw waith mathemategol.

J. O. Roberts oedd yn darlithio mewn Drama i ni ond lwyddodd o ddim i wneud actores ohona i, a rhyfedd oedd gorfod siarad Saesneg efo'r Dr Hywel Wyn Owen yn y darlithoedd Saesneg gan mod i'n nabod Hywel yn iawn fel aelod o Hogia'r Ddwylan. Ro'n i wrth fy modd yn cael gwersi Addysg Gorfforol unwaith eto, er mai cael ein dysgu am elfennau syml iawn oeddan ni ar gyfer y cynradd.

Roedd hi'n braf cael darlithoedd amrywiol ar ôl bod yn astudio Cerdd am dair blynedd.

Ymarfer dysgu amrywiol iawn

O fewn ychydig wythnosau mi ges fy ngyrru i Ysgol y Graig yn Llangefni ar fy ymarfer dysgu cynta. Roedd hi'n rhyfedd bod yno'n cydweithio efo rhai o'r athrawon fu'n fy nysgu i ychydig flynyddoedd ynghynt, ond erbyn hyn mewn adeilad llawer mwy modern na'r hen Ysgol British ers talwm.

Yn nosbarth Miss Williams, Benllech, ro'n i – ia, dyna chi, Miss Williams 'drop your jaw'! – a rhaid i mi ddweud iddi fod o gymorth mawr i mi yn y cyfnod hwn. Ces gyfle i'w gwylio'n dysgu yn ei ffordd ddisgybledig, gadarn, a rhoi rhai gwersi fy hun, hefyd, ond yn y rheiny byddai Miss Williams yn gofalu ei bod hi o gwmpas i roi help llaw a chadw trefn os byddai angen hynny. Mi wnes i fwynhau'n arw, ac ro'n i'n sicr mai dyma ro'n i am ei wneud fel gyrfa.

Ddiwedd Ionawr 1975 mi ges fynd i Ysgol Pen-y-bryn, Bethesda, ar fy ail gyfnod o ymarfer dysgu. Roedd plant

Pesda'n hollol wahanol i blant Llangefni. Doedd gan yr hen ferch o athrawes a eisteddai yn ei chadair y tu ôl i'w desg bron trwy gydol y dydd fawr o drefn ar ei dosbarth, a phan fyddai rhywun yn cadw reiat (ac roedd hynny'n digwydd yn aml, coeliwch fi), mi fyddai'n dweud: 'Bihafia, neu mi fydda i'n dod i gosi dy draed ti.' Doedd y bygythiad yma'n cael dim effaith o fath yn y byd ar y plant, wrth gwrs. Dwi'n cofio dau blentyn, yn arbennig, fyddai yng ngyddfau'i gilydd yn ddyddiol – yn taflu cadeiriau yn y dosbarth a hanner lladd ei gilydd bob amser chwarae. Roedd hi'n amhosib trio dysgu dosbarth o'r fath.

Fy nhiwtor yn y coleg oedd Miss Catherine Williams, a dwi'n ei chofio'n dod i arsylwi gwers gen i yno. Mi ges adborth ganddi ei bod hi'n fodlon iawn efo cynnwys fy ngwers, ond nad oedd hi rioed wedi gweld plant mor anystywallt yn ei byw, ac mi ddwedodd y byddai'n dod yn ei hôl yn y pnawn i'm gweld yn dysgu'r dosbarth eto. Pan gerddodd Miss Williams i mewn i'r dosbarth ar ôl cinio, dyma un o'r plant yn gweiddi dros bob man, 'Be ddiawl ma'r bitsh yma isio eto?'

Mi welais i Miss Catherine Williams yn weddol ddiweddar, ac roedd hi'n cofio'n dda am yr achlysur ym Mhen-y-bryn. Sgwn i be ddaeth o'r plantos rheiny? Mi fu bron i mi roi'r ffidil yn y to a gadael byd addysg ar ôl y profiad hwnnw.

Beth am drio'i gweld hi?

Wedi bod yn canlyn Eifion am ddwy flynedd, dyma benderfynu dyweddïo a phriodi yn 1975. Roeddan ni'n dyweddïo ym mis Chwefror ac yn priodi ym mis Gorffennaf y flwyddyn honno. Roedd Richard, fy mrawd, a'i ddarpar wraig, Alwena, wedi pennu dyddiad eu priodas nhw hefyd, sef 29 Mawrth. Doedd Mam ddim yn hapus iawn mod i'n priodi o fewn tri mis wedyn.

Yn wir, mi fu Mam yn isel ei hysbryd yn y cyfnod hwn: roedd hi'n teimlo'i bod hi'n colli ei dau blentyn, a phlant oeddan ni'n dal i fod yn ei golwg hi. Dwi'n ei chofio hi'n dweud wrth Eifion ar ddiwrnod ein priodas: 'Cofiwch mai fi fydd pia hi am byth.' Roedd Mam yn warchodol iawn ohonon ni'n dau ac yn methu gollwng gafael, ac mae hi'n dal i fod felly, i raddau.

Doedd Dad ddim wedi bod yn dda yn y cyfnod hwn, chwaith, ar ôl cael strôc fechan a amharodd ar ei law. Yn Eisteddfod Bwlchtocyn yr oeddan ni ddechrau Ionawr pan ddywedodd o fod ei law yn teimlo'n rhyfedd, ac erbyn y dydd Llun canlynol roedd hi'n amlwg ei fod o wedi cael rhyw fath o strôc. Roedd o eisoes wedi gorfod rhoi'r gorau i'w waith fel dreifar bỳs oherwydd problemau efo'i olwg, ac felly roedd hon yn ergyd arall. Ond dymuno'n dda i Eifion a finna wnaeth Dad pan gyhoeddon ni ein bod am ddyweddïo, achos roedd o wedi dod i hoffi'r 'hogyn telifishion 'na'.

Er bod Eifion yn berson rhamantus iawn, roedd y ffordd y gofynnodd o i mi ei briodi ymhell o fod yn hynny. Dyma'i eiriau o ryw noson:

'Mi fyddi di'n cael swydd, gobeithio, ym mis Medi, felly ti'm yn meddwl basa'n well i ni drio'i gweld hi?'

Gweld be? Do'n i ddim yn siŵr be oedd o'n drio'i ddweud, ond ar ôl sgwrs fach, dyma sylweddoli ei fod o wedi gofyn i mi ei briodi fo. 'Dath o ddim hyd yn oed ar ei linia! Ond cytuno wnes, i wrth gwrs.

Rhyw ddiwrnod digon dwl o ran tywydd oedd dydd ein priodas, ac wyth deg o deulu a ffrindia wedi dod i ddathlu efo ni i Gapel Ebenezer, Rhosmeirch. Roedd llawer o deulu

Eifion wedi teithio o'r de, yn cynnwys ei rieni oedd erbyn hyn wedi symud o Borthmadog i fyw ym mhentre genedigol ei fam, Llechryd, yn ne Sir Aberteifi. Eunice oedd wedi gwneud ffrog i Glenys Ann, y forwyn briodas, a Lowri Watcyn, y forwyn fach (merch Menai Williams). Deg punt ar hugain gostiodd fy ffrog briodas i o siop yng Nghaer – mi fasach yn gorfod talu mwy na hynna am godi hem y dyddiau yma!

Roedd tri o weinidogion yn cymryd rhan – y Parchedigion Lyn Cleaver, gweinidog Rhosmeirch; George Brewer, gweinidog y Felinheli, ynghyd ag ewythr Eifion, Tecwyn Jones o'r Fali. Roeddan ni wedi dod yn ffrindia agos efo'r Parch. George Brewer gan ein bod wedi dechrau mynd i Gapel Elim, y Felinheli, lle roedd o'n weinidog. Tipyn o gymeriad oedd George Brewer: hen lanc, yn cymysgu efo pawb – yn yfed yn y tafarnau, yn ganwr cyhyrog, ac yn reidio moto-beic. Roedd o hefyd yn weddïwr heb ei ail ac yn ddyn roedd ganddon ni barch mawr tuag ato fo. Arferai ddod draw i Lôn Llwyn yn aml, a byddem yn canu o gwmpas y piano tan oriau mân y bore.

Ro'n i'n reit nerfus ar fore'r briodas, a Mam yn poeni am bawb a phopeth wrth baratoi. Wrth i'r gwahoddedigion gyrraedd y capel, pwy ddaeth yn ei ddillad lledr gan refio'i foto-beic ond George Brewer, ac mi barodd hyn i sawl het a llygad droi. Ond daeth gwên fwy i ngwyneb i yn y sêt fawr pan sylwais ar siwt George – roedd twll mawr ym mhen-glin ei drowsus. Mae'n chwith meddwl iddo gael damwain angheuol ar ei foto-beic dair blynedd yn ddiweddarach.

Choeliwch chi byth, ond Alun Ffred oedd y gwas priodas, a finna wedi'i ddympio fo ddwy flynedd ynghynt! Roedd Eifion a fynta'n dipyn o ffrindia – yn amlwg yn rhannu'r un diddordebau! Ann Hopcyn oedd yn canu'r delyn, a Bili

Evans, ei darpar ŵr hitha, yn canu'r organ. Mi gawsom ddiwrnod i'w gofio er na welais i rioed mo Eifion yn edrych mor grynedig a nerfus yn fy mywyd. Roedd o'n amlwg yn sylweddoli ei fod o'n clymu'i hun am byth!

Mi deithion ni i Lundain y noson honno er mwyn hedfan i Bortiwgal ar ein mis mêl. Mewn bocs matsys o stafell fach yn atic rhyw westy ceiniog-a-dima yn Norfolk Square y treulion ni'n noson gynta fel pâr priod. Ddim yn rhamantus iawn! Doedd y mis mêl ddim yn fêl i gyd, chwaith. Doeddan ni ddim yn arfer defnyddio eli haul yn y dyddiau hynny, ac roedd haul Portiwgal yn wahanol iawn i haul Rhosmeirch. Mi losgais bob tamaid oedd yn y golwg wrth dorheulo nes mod i fel cimwch coch, a doedd y bwyd ddim yn cyd-fynd â fi o gwbl, chwaith. Dwi'n cofio rhyw noson, ar ôl bwyta'r pryd nos, i mi fynd i'r tŷ bach i lawr yng nghyntedd y gwesty a llewygu yn y fan a'r lle. Mi ddois ataf fy hun pan glywais i lais Eifion yn y pellter yn galw, 'Wyt ti'n iawn?' Mi fuodd raid i mi aros yn y gwely am dridiau gan mod i mor sâl. Nid y mis mêl gora rioed!

Erbyn i ni ddod adra o'r wlad bell, roedd Dad wedi gwella ac wedi cael swydd newydd fel casglwr rhenti. Oherwydd hynny doedd o ddim yn gallu cael amser i ffwrdd i fynd i'r Steddfod i dreulio'r wythnos yn y garafán efo Mam. Felly, rhag ei siomi hi, mi addewais y byddwn i'n rhannu'r garafán efo hi ym Mro Dwyfor, Cricieth – ac Eifion yn aros yng ngwesty Bron Eifion efo criw HTV. Mi gawson ni storm o fellt a tharanau'r noson gynta, a ches i fawr o lwc efo'r cystadlu y flwyddyn honno, chwaith, heblaw am ail wobr efo'r triawd cerdd dant.

Roedd ein blwyddyn gynta fel pâr priod yn un ddigon anodd. Mae llawer i'w ddweud dros gyd-fyw cyn priodi, dwi'n meddwl. Roedd sawl rheswm dros fy amheuon tybed o'n i wedi dewis y cymar iawn. Roedd Eifion yn drefnus a thaclus ac yn hoffi popeth yn ei le, tra o'n i'n flêr a di-drefn gyda chopïau cerdd dros y lle i gyd. Do'n i fawr o gogydd, chwaith, achos fyddai Mam ddim yn gadael i mi wneud dim byd yn y gegin adra, ac felly ro'n i'n dueddol o losgi popeth.

Ro'n i'n mynd adra i Rosmeirch yn gyson gan mod i'n ymwybodol fod Mam, yn arbennig, yn colli fy nghwmni i. Roedd Eifion i ffwrdd yn aml efo'i waith i lawr yng Nghaerdydd, ac yn dal i fwynhau mynd allan efo'i ffrindia, tra oeddwn i i bob pwrpas wedi ymbellhau oddi wrth fy ffrindia. Ond mi weithion ni ar ein perthynas, ac yn raddol bach mi ddaethon ni i ddeall ein gilydd yn well. Erbyn hyn, rydw i wedi tacluso a chael gwell trefn ar bopeth, ac Eifion wedi llacio tipyn ar ei ddisgwyliadau. Mae fy nghoginio i wedi gwella hefyd, medda fo. Ac rydan ni'n dal efo'n gilydd!

Mae'n rhaid bod Eifion wedi anghofio'r amheuon gawson ni erbyn iddo fo sôn yn ddigon rhamantus am y dyddiau cynnar, a'r rhai cyfoes, pan oeddan ni'n dathlu'n priodas arian:

> I hogyn o Eifionydd
> a hogan o Sir Fôn –
> y fo'n rhyw lun ar brydydd
> a hithau'n fwyn ei thôn –
> roedd glannau Menai'n gân i gyd
> y gwanwyn hwnnw: gwyn eu byd.
>
> Ar drothwy chwarter canrif
> o rannu'r lleddf a'r llon,

mae'r geiriau'n dal o ddifrif
a'r alaw'n newydd sbon
wrth gynganeddu'r gân o hyd
i bedwar llais a ddaeth i'w byd.

Canu a hyfforddi

Recordio, beirniadu a chyfeilio

Ar ddiwedd y saithdegau roedd y cyngherddau a'r cyfleon i mi ymddangos ar wahanol raglenni teledu'n cynyddu – rhaglenni fel *Sŵn y Sêr*, *Cawl a Chân*, *Jam*, *Gair ar Gerdd*, *Gorau Gwerin* ac *Yng Nghwmni*. Roedd Ann Hopcyn a Bili wedi symud i fyw i Gaernarfon, ac felly byddai Ann yn dod efo fi i'r cyngherddau i gyfeilio imi ar ei thelyn. Roedd hi'n braf cael cwmni ar lwyfan, a gallai Ann lunio cyfeiliant i unrhyw gân yn ddidrafferth a heb bwt o gopi.

Agorwyd Clwb Cymraeg yng Nghaernarfon – Clwb Tanybont – lle cynhelid nifer o nosweithiau gwerin. Daeth galwadau sawl gwaith, hefyd, i ganu yng Nghlwb y Triban yn y Rhyl. Roedd y math o ganu ro'n i'n gallu ei gynnig yn boblogaidd ar y pryd, a chlybiau gwerin yn codi fel madarch dros y wlad. Ro'n i hefyd yn dal i gynnal cyngherddau efo Hogia'r Ddwylan, ac Eifion erbyn hyn wedi ymuno efo'r baswyr. Daeth sawl gwahoddiad, hefyd, i gynnal cyngherddau efo Côr y Penrhyn pan oedd Rowland Wyn Jones yn eu harwain, a chefais gyfle i fynd i ganu efo nhw i'r Alban ac i'r Almaen.

Braf hefyd oedd cael galwad gan Gwmni Sain yn gofyn imi a fyddai gen i ddiddordeb mewn creu record hir. Roedd y stiwdio 'radeg honno mewn hen feudy wedi'i addasu yng Ngwernafalau, Llandwrog – cartre Osborn a Glesni Jones.

Defnyddiwyd offerynnau byw fel cefndir i f'amrywiol ganeuon, oedd yn cynnwys caneuon gwerin traddodiadol, cerdd dant a chaneuon gwreiddiol fel 'Gwanwyn Penrhyn Llŷn', 'Rhydcyffiniau', 'Y Ddeilen Hon' a 'Tywyll Heno'.

Roedd rhaid sicrhau bod pob nodyn yn ei le wrth recordio, achos petawn i'n gwneud camgymeriad, byddai raid recordio'r cyfan eto. Diolch byth fod technoleg wedi datblygu. Lluniwyd y clawr gan berthynas i mi, sef Jac Jones: mi dynnodd lun ohona i, a mynd ati wedyn i sgetsio copi o'r llun hwnnw, ac mae'n rhaid i mi ddweud mai hwn ydi fy hoff glawr o'r gwahanol recordiau wnes i dros y blynyddoedd. Diolch, Jac – a diolch i Gwmni Sain am roi'r cyfle i mi.

Braint hefyd, tua'r un adeg, oedd cael galwad gan y dramodydd John Gwilym Jones yn gofyn i mi fod yn rhan o'i ddrama, *Ac Eto nid Myfi*. Na, dydw i ddim yn actores o fath yn y byd, ond yn y ddrama mae gofyn i rywun ganu tair cân allan o'r *Messiah* – o'r golwg, diolch byth, ar ochr y llwyfan. Roedd angen i mi ganu'n ddigyfeiliant ran o 'I know that my Redeemer liveth', 'Come unto him' a 'He shall feed his flock'. Bu'r perfformiad yn Theatr Gwynedd, ac yna'n ddiweddarach cafodd ei darlledu gan y BBC. Roedd hi'n fraint cael bod yng nghwmni actorion amlwg fel Beryl Williams, John Ogwen, Elliw Haf, J. O. Roberts ac Ellen Roger Jones.

Os cofia i'n iawn, mi ges fy mhrofiad cynta fel beirniad yn steddfod Clwb Gwerin Llangefni pan o'n i'n un ar hugain oed. Yna, maes o law, daeth cyfleon i feirniadu yn steddfodau Cylch yr Urdd. Yn 1979 y ces i feirniadu am y tro cynta yn Eisteddfod Genedlaethol yr Urdd, pan oedd hi ym Maesteg. Ddwy flynedd wedyn, ces feirniadu yn yr Ŵyl

Cerdd Dant yng Nghaerdydd, ac yna beirniadu am y tro cynta yn y Genedlaethol ym Mhorthmadog yn 1987.

Ro'n i'n mwynhau'r profiad yn arw yn y cyfnod hwnnw, ond stori wahanol ydi hi erbyn hyn. Mae gen i ormod o gydymdeimlad â'r cystadleuwyr a'r hyfforddwyr, ac mi fydda i'n poeni mod i wedi gwneud cam â rhywun. Dydi o ddim yn brofiad braf o gwbl.

Doedd o ddim yn brofiad braf, chwaith, pan gytunais i gyfeilio yn Eisteddfod Uwchmynydd yn 1977. Doedd cyfarfod y pnawn yn poeni dim arna i, gan mod i wedi arfer cyfeilio i blant ac yn gallu newid cyweirnod yn ddidrafferth os oedd angen hynny. Mi wnes dipyn o waith cartre ar gyfer cyfarfod yr hwyr, gan holi o gwmpas y cystadleuwyr arferol ar y brif unawd oeddan nhw'n bwriadu mynd yno, a be oeddan nhw am ei ganu. Mi fues i wrthi'n ymarfer cymaint o unawdau ag y gallwn i gael gafael arnyn nhw, ac ro'n i'n teimlo'n eitha hyderus.

Pan ddaeth cystadleuaeth y brif unawd, pwy gerddodd i mewn ar y funud ola ond David Cullen o Langadfan. Doedd gen i ddim syniad be oedd o am ei ganu, a phan ddaeth ei dro dyma fo'n lluchio rhyw gân hollol ddiarth o mlaen i, yn llawn sharps a rhediadau cyflym trwyddi. Doedd dim amser i ymarfer, dim ond mynd amdani. Mi fasa'n werth i chi weld ei wyneb o pan ddaeth y gân i ben; mi ddweda i fel hyn, doedd o ddim yn hapi byni! Ro'n i'n teimlo fel cadach wedi'i wasgu'n grimp. Dyna'r tro cynta a'r ola i mi gyfeilio mewn steddfod, ac mae gen i barch aruthrol at gyfeilyddion ein steddfodau bach a mawr. Dydyn nhw ddim yn cael hanner digon o sylw na chanmoliaeth.

Cael blas ar hyfforddi

Ro'n i wedi bod yn hyfforddi plant i ganu yn ardal Rhosmeirch ers rhyw dair blynedd ac yn dal i fynd yno bob wythnos i'w dysgu. Dysgu'r plantos i ganu ar gyfer steddfodau bach lleol fyddwn i ar y dechrau, ond pan soniwyd bod Steddfod yr Urdd yn dod i Borthaethwy yn 1976 dyma benderfynu dechrau Adran yr Urdd yn y pentre.

Roedd gen i naw o gantorion bach addawol, ac es ati i ffurfio parti cerdd dant dan bymtheg oed. Mae'n werth enwi'r naw, fy gini-pigs cynta: Catrin ac Elena Williams (dwy chwaer), Gwenda, Nerys a Carol Parry (tair chwaer), Ann Roberts, Olwen Davies, Ann Fôn a Marian Williams. Sôn am wirioni pan ddaethon nhw i'r brig. Doedd dim troi'n ôl ar ôl hyn: roedd y busnes cystadlu 'ma fel cyffur.

Roedd mwy o hyd yn gofyn am gael dod ata i am wersi – rhai fel Carys, Gwenda, Annwen, Nia, Rhian a Bethan (y chwech o ardal Bryngwran), Siân Eirian Hughes o Langybi, Helen Wyn o Dre-garth, Nest o'r Felinheli, Sian a Nia o Fangor. Roedd y rhain yn ychwanegol at y chwech oedd yn y parti bach. Adra ar aelwyd fy rhieni yn Rhosmeirch y byddwn i'n rhoi'r rhan fwya o'r gwersi, ac mi fyddwn yn sgwennu pob gosodiad yn unigol efo llaw i bob plentyn. Fedra i ddim dechrau meddwl faint o oriau wnes i dreulio'n gwneud hynny. Diolch byth mod i wedi darganfod y llungopïwr yn ddiweddarach.

Roedd Eifion a finna awydd symud o'r Felinheli, a chwilio am dŷ mwy. Roeddan ni wedi trefnu i fynd i weld tŷ ym Mhorthaethwy ryw fore, ac mi gawson ni groeso mawr gan wraig y tŷ. Mi sylwais fod hogyn bach tua pedair oed ar ben cadair wrth y sinc yn y gegin; roedd o'n gariad bach efo'i ddau lygad mawr brown yn gwenu arnon ni y tu ôl i'r lliain sychu llestri. Wedi i ni gael cyfle i edrych o gwmpas y tŷ a sgwrsio, dyma'r fam yn dweud cyn i ni adael: 'Dwi'n meddwl bod gan y bychan 'ma lais canu reit ddel hefyd. Tybed fasach chi'n fodlon gwrando arno fo rywbryd, a'i roi o ar ben ffordd?' 'Iawn,' meddwn inna, 'dowch â fo draw i Rosmeirch nos Iau.'

Daeth Meira â'i mab, Huw Edward Jones, ata i'r nos Iau ganlynol – a wir i chi, roedd ganddo lais bendigedig. Dyma gychwyn, felly, ar gyfeillgarwch a gwersi am flynyddoedd wedyn, nes i'w lais dorri. Mi fues i hefyd yn hyfforddi chwiorydd Huw i ganu, sef Sioned a Nia (Nia Lloyd Jones, sydd ar Radio Cymru ers blynyddoedd bellach). Dydw i ddim yn un sy'n arfer mynd yn emosiynol pan fydd rhywun yn ennill mewn steddfod, heblaw am y tro cynta hwnnw i Huw ennill o dan naw oed yn Eisteddfod Genedlaethol yr Urdd yng Nghastellnewydd Emlyn. Doedd o fawr o damaid ar y llwyfan, ac mi ganodd fel angel nes daeth 'na ddeigryn i'm llygad, a dyna'r tro cynta a'r ola i hynny ddigwydd. Ro'n i mor falch ohono fo ac yn gwybod cymaint roedd Meira, ei fam, yn rhoi o'i hamser i ymarfer a mireinio'i berfformiad.

Aeth Huw ymlaen i wneud cryn enw iddo'i hun wrth gystadlu yn ddiweddarach yn Eisteddfod Ryngwladol Llangollen. Enillodd yno sawl tro am ganu gwerin, yn gwisgo'i gap stabal a chadach coch o amgylch ei wddw, a Meira wedi gofalu'i bod yn casglu swp o rug o Fynydd Hiraethog ar ei ffordd i'r steddfod a'i glymu yn ei gap. Wrth ennill yno, byddai'n cael cyfle wedyn i berfformio yn y cyngerdd nos gyda llu o artistiaid eraill o wahanol wledydd y byd, a finna'n cael mynd i gyfeilio iddo.

Yn sgil Huw y ces i'r fraint, hefyd, o gerdded ar lwyfan yr Albert Hall yn Llundain. Roedd Huw wedi cael gwahoddiad i ganu yn y cyngerdd Gŵyl Dewi yno, a finna'n cyfeilio iddo. Dim ond naw oed oedd o a doedd nerfau'n poeni dim arno, ond stori arall oedd hi efo fi: ro'n i'n sobor o nerfus ond yn trio peidio dangos hynny i Huw. Roedd o'n canu dwy alaw werin – 'Mil harddach wyt na'r rhosyn gwyn' a 'Bwmba' – ac mi dynnodd y lle i lawr efo'i anwyldeb a'i lais swynol. Llifai'r gwahoddiadau iddo ar ôl hynny ac mi ddaeth yn seren, gan berfformio yn Bwlgaria a Siapan. Cafodd gyfle hefyd i ymddangos ar raglenni Caryl Parry Jones efo'r gân enwog 'Mynd o Steddfod i Steddfod'.

Mi benderfynais ddod â'r holl blant ro'n i'n eu hyfforddi at ei gilydd i ffurfio Parti'r Ynys, ac mi fuon ni'n cystadlu mewn steddfodau am flynyddoedd. Mi gawson ni gryn lwyddiant wrth ganu gwerin a chanu cerdd dant, gan ennill yn y Genedlaethol nifer o weithiau. Roedd hi'n bleser gweld y boddhad roeddan nhw'n ei gael o'r holl brofiadau gwahanol. Mi gawson ni gyfle hefyd i recordio ambell gân, a chynnal sawl cyngerdd hwnt ac yma.

Fy joban gynta

Wedi i mi orffen fy nghwrs ymarfer dysgu, ro'n i'n chwilio am waith ac yn gobeithio'n arw cael swydd yn Sir Fôn, gan y byddai hynny'n hwyluso fy ngobaith o ddal ati i roi gwersi canu gyda'r nos. Nid felly roedd hi i fod, ac yng Nghyffordd Llandudno y ces i gynnig swydd. Ro'n i'n ddigon bodlon ac yn falch bod gen i waith i fynd iddo ym mis Medi.

Ond ar ganol gwyliau'r haf, ces alwad ffôn gan brifathro Ysgol Hirael, Bangor, Peter Morris Jones, yn gofyn fyddai gen i ddiddordeb mewn cael swydd yno, gan ei fod o isio rhywun oedd wedi arbenigo mewn Cerddoriaeth. Dyma neidio at y cyfle a ffarwelio â'r syniad o fynd i Landudno.

Mae'n debyg fod gen i le i ddiolch i gynghorydd ac un o lywodraethwyr Ysgol Hirael ar y pryd, sef Richard Gwynedd – fo roddodd fy enw i i Peter Morris Jones.

Roedd wyth ohonon ni ar y staff, ac ro'n i'n dysgu plant saith ac wyth oed. Ysgol eglwys oedd Ysgol Hirael ac roedd hi braidd yn Seisnigaidd pan gychwynnais i yno, ond roedd y prifathro'n awyddus i'w throi'n ysgol fwy Cymreig, a phenderfynodd y byddai'r addysgu bob pnawn trwy gyfrwng y Gymraeg. Buan iawn y daeth y plant i ddeall a siarad yr iaith.

Roedd gen i ddosbarth o blant annwyl iawn ac ro'n i wrth fy modd yn sgwennu a pharatoi cyngherddau ar eu cyfer, yn enwedig at y Nadolig. Yn Eglwys y Santes Fair ar draws y ffordd y bydden ni'n perfformio, a byddai raid i Peter, gyda help y staff, wthio'r piano ar draws y lôn ar gyfer pob ymarfer a pherfformiad. Mi gychwynnais i Adran yr Urdd yno a ffurfio côr plant ar gyfer Steddfod yr Urdd. Doedd yr ysgol erioed wedi cystadlu yn yr Urdd o'r blaen, felly ro'n i wrth fy modd pan lwyddon ni i fynd ymlaen i'r Genedlaethol yn Llanelwedd.

Mi gofia i'r daith i lawr yn iawn, achos ro'n i wedi dweud wrth y plant ar y bws: 'Cofiwch, os byddwch chi'n teimlo'n sâl, dowch i ista efo fi yn y blaen.' Ond nid y plant oedd yn sâl, ond y fi! Sôn am g'wilydd. Chwydu ar ochr y ffordd, a llond bws o wynebau bach yn syllu arna i – rhai'n bryderus a'r lleill yn cael modd i fyw. Ond roedd hi'n werth teithio i lawr i'r de achos daeth y côr yn drydydd, ac ro'n i wedi gwirioni efo nhw. Mi ges delyn fach wedi'i gwneud o lechen yn anrheg gan y côr, ac mae hi gen i hyd heddiw i gofio amdanyn nhw.

Roedd staff Hirael yn gefnogol iawn i ryw gyw athrawes

fel fi, ac mi gofia i'n arbennig am Miss Iris Parry oedd yn dysgu yn yr ystafell drws nesa i mi. Roedd Iris yn ddynes nobl, lond ei chroen, ac yn smocio fel stemar. Mi fyddai'n sefyll yn nrws ei hystafell yn gwylio pawb a phopeth, ac yn barod i gynnig help llaw bob amser.

Byddai Peter Morris Jones wrth ei fodd yn trafod cerddoriaeth efo fi amser egwyl, ac yn wir mi fu ei blant, Catrin a Dewi, yn cael gwersi canu a phiano acw am gyfnod. Mae Catrin erbyn hyn yn gerddor a thelynores wych yn Llundain, ond chwith meddwl fod Dewi wedi gadael y byd hwn yn ddim ond ugain oed.

Roedd un eneth fach yn fy nosbarth i wastad yn cyrraedd yr ysgol yn hwyr. Roedd ganddi reswm dilys bron bob tro, ond hwn oedd y gora: 'Pam wyt ti'n hwyr eto heddiw?' meddwn i wrthi, a dyma'i hateb: 'Doedd Mam ddim yn gallu codi, achos roedd Dad yn gorwedd ar ei phen hi'n y gwely!' Wnes i ddim holi dim rhagor! Dwi'n cofio gofyn i blentyn arall ryw dro: 'Be 'di enw dy dad?' 'Dwi'm yn gwbod,' oedd ei ateb. 'Wel, Mr *be* Jones ydi o?' gofynnais. 'Dwi'm yn gwbod,' medda fo eto. 'Be di'i enw cynta fo, ta?' holais wedyn. 'Dwi'm yn gwbod,' atebodd. Dyma drio eto, a gofyn: 'Wel, be ma Mam yn galw dy dad adra?' 'Hello, Sexy,' medda fo.

Mi ges i dair blynedd hapus iawn yn Hirael a chefnogaeth arderchog gan y prifathro a'r staff. Ond buan y dois i ddeall fod rheswm arall am y salwch teithio ar y ffordd i Lanelwedd: ro'n i'n feichiog ac yn disgwyl fy mhlentyn cynta.

Symud i Dre-garth

Wnes i rioed freuddwydio y byddwn i'n byw yn Nhre-garth, o bob man. Arferwn orfod mynd yno'n aml ar nos Sadwrn pan o'n i'n iau efo Dad a Mam, i ymweld ag Yncl Dic ac Anti Meri.

Brawd Dad oedd Dic, ac roedd o ac Anti Meri yn hynod o hen ffasiwn ond yn garedig dros ben. Arferai Anti Meri wisgo brat *cross-over*, a'i gwallt wedi'i glymu'n dynn yn ei ôl. Roeddan nhw'n byw mewn tŷ teras bach, a bob tro y bydden ni'n galw yno byddai Anti Meri, â'i hwyneb bochgoch, yn mynnu rhoi brechdan gaws i mi a finna ddim yn or-hoff o gaws. Roedd hi hefyd yn siarad trwy'i thrwyn nes byddai fy mhen i'n troi, a Dad ac Yncl Dic yn trafod ffermio trwy'r nos.

Wel, roedd Anti Meri ac Yncl Dic druan wedi gadael yr hen fyd 'ma erbyn i ni symud i Dre-garth. Roedd stad newydd o dai wrthi'n cael ei chodi ar gwr y pentre: Tal y Cae. Roedd Eifion a finna wedi penderfynu mynd amdani a chael tŷ newydd sbon yno. Roedd enw da i'r adeiladwr; roedd o'n gyfnod cyffrous o ddodrefnu, carpedu a chreu nyth bach newydd i ni'n dau a'r cyw bach newydd oedd ar ei ffordd.

Roedd 'na gymysgfa o bobol yn byw yn Nhal y Cae: doctoriaid, athrawon, darlithwyr a phobol y cyfryngau, a doedd o'n fawr o syndod bod gweddill y pentre'n galw'r stad yn Beverly Hills. Yn anffodus, doeddan ni ddim yn teimlo'n bod ni'n perthyn i'r pentre, rywsut, ac mi ges i drafferth mawr ymgartrefu yno. Mi ddaethon ni'n aelodau o Gapel Shiloh ac roedd y gweinidog, y Parchedig Albert Wyn Jones, a'i wraig yn galw acw'n aml. Roedd o'n hoff o gacan a phanad!

Gan nad oedd y tir wedi'i drin o'r blaen, bu Eifion wrthi'n palu pob modfedd o'r ardd cyn gosod lawnt a neilltuo rhannau i lysiau a blodau. Mi ddaeth o'n arddwr llysiau medrus efo help fy nhad. Byddai Dad yn mynd â llysiau Eifion i gystadlu efo nhw (ac ennill) mewn sioeau bach lleol, ond Dad ei hun fyddai'n gofalu am y gwely blodau ac roedd o'n un gwerth ei weld. Roedd ganddon ni gartre bach cysurus yn barod ar gyfer y babi.

Yn ôl i'r Almaen, a'r brifwyl

Doedd dim llaesu dwylo i fod yn y misoedd yn arwain at yr enedigaeth. Ro'n i'n dal i gynnal cyngherddau, rhoi gwersi canu a phiano, ac yn dal i hyfforddi Parti'r Ynys a'r parti o griw ifanc ar gyfer y Genedlaethol. Hefyd, cafwyd taith arall gyda Hogia'r Ddwylan i'r Almaen, i'r union le y buon ni bedair blynedd ynghynt.

Dwi'n cofio cael copi o gân newydd gan Menai Williams yn arbennig ar gyfer y daith hon i'r Almaen, sef cyfieithiad o 'La vergine degli angeli', a chyda'r copi lythyr fel hyn:

Tŷ Ni,
Cyn Tri.

Annwyl Liah,
Yli, sbia –
gin i;
paid â dychryn
efo'r 'Forwyn',
mae'n hawdd i'w dysgu –
jyst fel cysgu!
Pennill cynta –
dim ond yr Hogia
(chdi ar dy ista),
wedyn chditha
yn canu'r un un
ar 'ben dy hun.
Ti'n canu'r geiria
sy mewn cromfacha,

ac ar ôl hynny
mi fyddi di'n canu
y lein arbennig,
un fendigedig,
tra ma'r Hogia'n dilyn
'u ffordd 'u hun'in,
ond erbyn pêj tŵ
mi fyddi di efo nhw
yn canu'r geiria
a phob dim fel'na,
heblaw 'Rhag holl ddryga'–
ma hwnnw'n wahanol
hollol.
Ma'r do mi so do'
yn mynd yn ddigon slo,
ma isio dipyn o wynt
i fynd ar dy hynt.
Ma hi'n gân neis,
fel pwdin reis,
ond does 'na ddim lympia
na dim byd fel'na
ynddi hi,
am wn i.
Ma'r rhythm yn bwysig
yn y miwsig –
.,s|s : – .,s|s
nid |s : – .s|s!!
Nei di gofio hynna?
A mi 'na inna
roi taw ar betha
tan tro nesa

a deud ta-ta, 'ta.
O ia,
fedri di ddod draw
drwy'r gwynt a'r glaw
I ni gael clywad y gân,
Heb bawb, ar wahân?!
Gawn ni sgwrs ar y ffôn
i drefnu practis ym Môn,
OK, mêt?
(Dwi ddim yn sidêt!)
Ffarwél, ffrind;
wir yr, mi dwi'n mynd!

Hwyl, Menai

Roedd y Steddfod Genedlaethol yng Nghaerdydd yn 1978, a chan i mi ennill Gwobr Goffa Lady Herbert Lewis (y brif wobr am ganu gwerin) y flwyddyn cynt yn Wrecsam, ro'n i'n cael fy urddo i'r Orsedd yng Nghaerdydd. Oherwydd hynny, gofynnwyd i mi hefyd ganu o'r Maen Llog. Gan mod i'n disgwyl plentyn, roedd hi'n addas iawn mai 'Mil harddach wyt na'r rhosyn gwyn' wnes i ganu.

Roedd hon yn Steddfod brysur o ran cystadlu hefyd, a daeth y ddau barti ro'n i'n eu hyfforddi i'r brig gan ennill Cwpan Môn a gwobr goffa Dewi a Myra Jones. Mi fûm inna'n ffodus o ennill yr Unawd Cerdd Dant dan 25, ac mi gawson ni lwyddiant gyda'r triawd. Ac oherwydd bod y Steddfod yn dod i'n hardal ni, Caernarfon, y flwyddyn wedyn, mi ges fy ngwadd i ganu cân o groeso gydag Ann Hopcyn yn cyfeilio i mi.

Doedd dim stop ar ôl y Genedlaethol, chwaith, gan fod angen mynd ati'n syth i baratoi at yr Ŵyl Cerdd Dant yng Nghorwen, lle cawson ni lwyddiant eto efo'r partïon a sawl unigolyn. Ond roedd *raid* rhoi'r brêcs wedyn, a pharatoi ar gyfer y diwrnod mawr.

Dechrau teulu

Myfi sy'n magu'r baban

Paratoi grefi ar gyfer cinio Sul o'n i pan dorrodd fy nŵr, a bu'n rhaid gadael y wledd a'i throi hi am Ysbyty Dewi Sant. Wna i ddim mynd i fanylion am yr enedigaeth, dim ond iddi fod yn un hir a phoenus iawn. Chafodd Eifion druan ddim gweld y fechan yn dod i'r byd oherwydd roedd defnyddio *forceps* yn y dyddiau hynny'n rheswm dros yrru'r gŵr allan o'r stafell.

Ganwyd Angharad ar fore Llun y 4ydd o Ragfyr am un o'r gloch y bore, yn fabi nobl 9 pwys a 5 owns. Doedd dim byd yn bod ar ei hysgyfaint o'r eiliad y daeth hi i'r byd – nac am y naw mis wedyn, chwaith.

Mae'n rhaid dweud nad o'n i wedi paratoi fy hun ar gyfer babi oedd yn crio ddydd a nos. Pan o'n i'n blentyn bach ro'n i'n mwynhau chwarae efo doliau ufudd a mynd â nhw am dro yn y goets, ond roedd delio efo babi go iawn yn stori hollol wahanol. Daeth llwyth o ymwelwyr draw i Dre-garth – rhai ar y diwrnod cynta y dois i o'r ysbyty – a chyn wiried ag y byddwn i wedi cael Angharad i gysgu, mi fydden nhw'n ei deffro, a dyna'r sgrechian a'r crio'n dechrau eto. Nhwytha wedyn yn penderfynu ffarwelio, a ngadael i i ddawnsio o gwmpas y lolfa efo'r bwndel bach swnllyd yn fy nghôl.

Byddai'r Ymwelydd Iechyd yn galw'n aml, nid yn gymaint i weld Angharad ond i sicrhau mod i'n ymdopi. Roedd yr holl ddiffyg cwsg a'r crio ddydd a nos yn 'y ngwneud i'n ddigalon, a diolch bod Eifion a'm rhieni wrth law i gynorthwyo yn y dyddia cynnar rheiny. Roedd yn rhaid dilyn y rheolau, sef bwydo bob pedair awr, a dwi'n credu erbyn hyn mai dyna oedd gwraidd y broblem. Roedd Angharad, wrth gwrs, isio bwyd yn amlach na hynny, a finna'n glynu'n dynn wrth y cloc. Mae rhieni ifanc heddiw yn gallach o beth diân.

Anghofia i byth mo'i bedydd hi ar Sul y Pasg 1979 yng nghapel mawr Shiloh, Tre-garth. Dim ond rhyw wyth ohonon ni oedd yno ar ôl yr ysgol Sul, ac roedd Angharad yn bihafio'n reit ddel nes dechreuodd Mrs Albert Wyn Jones chwarae'r organ beips anferthol oedd yn y galeri. Dwi'n meddwl fod pob stop posib ar yr organ allan ganddi – mi fasach chi wedi gallu'i chlywed hi filltiroedd i ffwrdd. Mi neidiodd pawb yn ei sêt, ac yn naturiol mi ddechreuodd Angharad, druan, sgrechian yn ddi-baid.

Chlywson ni ddim o weddill y gwasanaeth, dim ond gweld bod ceg y gweinidog yn agor a chau fel 'sgodyn aur, a'r ddwy nain yn chwifio'u ffunenni poced fel tasan nhw am stopio rhyfel, i drio arafu mymryn ar grio'r fechan. Roedd tad Eifion wedi trefnu i recordio'r gwasanaeth i'w gael ar gof a chadw, ond does dim gair i'w glywed ar y tâp, dim ond udo Angharad, a hynny'n achlysurol i gyfeiliant yr organ.

Roedd gweld Angharad yn datblygu ac yn dechrau gwenu yn werth pob eiliad o'r nosweithiau di-gwsg. Tyfodd yn gariad bach siaradus, a chafodd fy sylw i gyd. Roedd ganddi lond pen o gyrls mân ac mi fyddwn wrth fy modd yn ei gwisgo hi'n ddel a'i dangos i'r byd. Arferwn ganu iddi wrth deithio yn y car, a dysgodd nifer o hwiangerddi cyn ei bod yn ddyflwydd. Fel pob mam arall, ro'n i wedi gwirioni efo hi.

Mi fu fy rhieni'n arbennig o garedig pan oedd Angharad yn fach ac Eifion i ffwrdd yn gweithio. Nhw fyddai'n gwarchod bob tro roedd gen i gyngerdd neu steddfod, ac er mwyn i mi allu parhau i hyfforddi plant i ganu. Mi ges gyfle hefyd i recordio fy ail record hir, *Breuddwydio*, yn y cyfnod yna. Dwi ddim yn teimlo mod i wedi diolch digon iddyn nhw am eu caredigrwydd a'u gofal.

Ymhen dwy flynedd ro'n i wedi rhoi genedigaeth i fy ail blentyn, Elysteg. Ganwyd hi ar y 7fed o Dachwedd, yn fwndel bach hoffus ac yn fabi dol i'w chwaer fawr. Dwi'n cofio dod i'r ward berfeddion nos ar ôl yr enedigaeth yn Ysbyty Dewi Sant, Bangor, a rhyw lais bach yn dod o'r gwely drws nesa i mi'n dweud: 'Chdi sy 'na, Leah?' Carys Mai oedd yno (merch Gwilym a Madge Hughes), un y bues i'n crwydro steddfodau yn ei chwmni am flynyddoedd. Roedd hi newydd eni hogyn bach, ac mi fuo'r ddwy ohonon ni'n cynllwynio i ddwyn ambiwlans i ni gael mynd o'r twll lle ar ôl ychydig ddyddiau yno. Wnaethon ni ddim, siŵr iawn, ond roedd hi'n ffordd ddifyr o basio'r amser tra oedd ein babis yn cysgu.

Roedd Elysteg yn llawer haws i'w magu gan ei bod hi'n hoff o'i chwsg, a finna'n gwybod beth i'w ddisgwyl y tro hwn. Ond bu raid ei bwydo ar laeth gafr yn fuan ar ôl ei geni gan fod ganddi ecsema difrifol ar ei chroen. Sawl gwaith wrth iddi ddeffro yn y bore byddai ei hwyneb bach yn waed i gyd, oherwydd iddi fod yn crafu yn y nos. Gyda chymorth arbenigwyr mi ddaethon ni dros y broblem fach honno, diolch byth.

Cân y Coroni

Fel y soniais, ro'n i eisoes wedi cael y fraint o ganu o'r Maen Llog yng Nghaerdydd pan ges i fy nerbyn i'r Orsedd. Yna, yn Eisteddfod Dyffryn Lliw (1980), gofynnwyd i mi ganu Cân y Coroni yn y pafiliwn mawr. Mae'n gryn brofiad ac yn agoriad llygad bod yn aelod o'r Orsedd gan fod 'na'r fath drefn i bopeth. Yn un peth mae'n rhaid ymgynnull sawl awr ynghynt i wisgo yng nghefn y llwyfan neu mewn rhyw ysgol gyfagos. Dwi ddim yn berson sy'n hoffi gwastraffu amser yn mwydro am wisgoedd, felly ar y funud ola dyma fi'n cyrraedd a 'ngwynt yn fy nwrn yr ysgol lle roedd yr Orsedd wrthi'n paratoi – rhai'n ymbincio, rhai'n pendroni sut i wisgo'u penwisg, eraill yn trio penderfynu be i wisgo o dan y goban, a rhai'n straffaglio o'r tŷ bach a godre'u coban chydig yn damp!

Pan es at y rhes o gobenni gwyrdd, doedd dim ond tair ar ôl, a'r rheiny'n rhai digon blêr yr olwg a filltiroedd yn rhy laes i mi. Doedd neb yn fodlon ffeirio coban er i mi ddweud mod i'n gorfod canu Cân y Coroni o flaen y miloedd. Dyna sydd i'w gael am gyrraedd yn hwyr, ma siŵr! Dyma drio gosod y benwisg, a honno'n mynnu llithro oddi ar 'y mhen i bob gafael. Ro'n i'n dychmygu'r cap cadach simsan yn llithro'n ara oddi ar fy nghorun wrth imi ganu, felly dyma ofyn i Dillwyn Miles, yr Arwyddfardd, tybed a faswn i'n cael canu heb y benwisg. Mi fasach yn taeru i mi ofyn faswn i'n cael canu'n noethlymun, ac mi ges lond pen am hyd yn oed meddwl gofyn y fath beth!

Donald Evans, Talgarreg, enillodd y Goron a'r Gadair yn Nyffryn Lliw, ac mi lwyddais i ganu Cân y Coroni gan roi hwb sydyn i'r cap llithredig bob hyn a hyn, a chodi godre'r goban i fynd i ysgwyd llaw â'r bardd rhag i mi faglu drosti. Mi ddylai'r Orsedd lunio penwisg well i'r cantorion – bydd rhaid i mi gael gair ag Ela, Ysbyty Ifan, Meistres y Gwisgoedd!

Daeth cyfle arall i ganu Cân y Coroni dair blynedd yn ddiweddarach pan oedd y Genedlaethol yn Llangefni, ac Eluned Phillips o Genarth enillodd y tro hwnnw. Profiad eitha tebyg fu hwnnw hefyd, a'r nerfau'n dechrau chwarae triciau efo fi erbyn hyn.

Mudo eto

Erbyn i Angharad gyrraedd ei blwydd roedd Eifion wedi cael swydd newydd fel Cyfarwyddwr Rhaglenni yn stiwdio fach HTV oedd i'w hagor yn yr Wyddgrug. I baratoi ar gyfer y swydd, bu'n rhaid iddo ddilyn cwrs yng Nghaerdydd am chwe mis, ac felly dim ond ar benwythnosau roedd o adra. Ac roedd hyn yn golygu y byddai'n rhaid inni fudo i'r Wyddgrug ar ôl iddo orffen y cwrs.

Roedd meddwl am symud i Glwyd yn ddigon drwg, ond roedd gorfod meddwl am symud i Gaerdydd pan gafodd Eifion gynnig swydd yn fanno yn ddiweddarach yn torri nghalon i. Wnaeth o ddim fy ngorfodi i symud i'r brifddinas, ond mi fydda i'n meddwl weithiau tybed beth fyddai wedi digwydd tasan ni wedi symud i Gaerdydd, ac yn teimlo'n euog mai fi wnaeth ddal gyrfa Eifion yn ôl yn y cyfnod llewyrchus hwnnw ym myd teledu.

Mi fuon ni'n edrych ar dai yn ardal yr Wyddgrug, Rhuthun a Dinbych, a phenderfynu yn y diwedd ar 1 Crud y Castell, Dinbych. Roedd yn dŷ braf ar gyrion y dre, gyda gardd nobl a digon o le i blant chwarae ynddi. Er hynny, do'n i ddim yn edrych ymlaen at symud o gwbl, gan y byddwn ymhellach oddi wrth y teulu yn Sir Fôn ac yn colli dysgu Parti'r Ynys. Do'n i rioed wedi byw mewn tre o'r blaen, chwaith, ac ro'n i'n poeni sut byddwn i'n ymgartrefu heb fod yn nhawelwch y wlad.

Ond ar 24 Mehefin 1981 mudo fu raid, ac mi fasach yn taeru mod i'n mynd i ben draw'r byd! Gofalodd y ddau daid a nain am y genod tra oeddan ni'n symud a dadbacio. Yn rhyfedd iawn, daeth tri gweinidog i'n gweld yn ystod y dyddiau cynta ar ôl i ni gyrraedd Dinbych, pob un yn ein croesawu i'r ardal ac yn awyddus i ni fynychu eu capeli: y Parchedigion Graham Floyd o gapel Annibynwyr Lôn Swan, Eifion Jones o Gapel y Fron, a William Huw Pritchard o'r Capel Mawr – dau Hen Gorff!

Yn rhyfeddach fyth daeth un o'r trefnwyr angladdau lleol i'n gweld hefyd – Ivor Howatson. Mi fu yntau'n gyfaill a chymwynaswr arbennig i ni gan ei fod yn nabod pawb yn y dre ac yn gallu'n rhoi ar ben ffordd efo sawl problem a godai. Buan iawn y daethom i sylweddoli bod pobol glên iawn yn Nyffryn Clwyd, a phawb yn groesawus.

Bu tipyn o grafu pen i ba gapel roeddan ni am fynd gan mai Annibynwraig o'n i ac Eifion yn Wesla. Ro'n i'n nabod y Parchedig Wil Huw Pritchard gan ei fod yn wreiddiol o Fôn, a'i nain wedi bod yn byw dros y ffordd i fy nain i yn Rhosmeirch. Ond roeddan ni hefyd wedi clywed fod llawer o blant yn mynd i Gapel y Fron yn y cyfnod hwnnw, ac yn awyddus i'r genod fod yn rhan o griw mawr hwyliog ac iddyn nhw fod isio mynd i'r ysgol Sul a'r capel heb i ni orfod eu llusgo nhw yno. Mi gofia i'n iawn inni gychwyn am y capel un bore Sul yn fuan ar ôl i ni gyrraedd y dre, a chyrraedd y goleuadau traffig sydd ar waelod Stryd y Dyffryn heb fod wedi penderfynu i ba un oeddan ni am fynd. Ond troi i'r dde wnaethon ni am Gapel y Fron. Anghofio, felly, am enwadaeth, a chael croeso twymgalon gan bawb yno.

Roedd hon yn dre hanesyddol a llawer i'w ddysgu amdani. Crwydrai llenorion enwog ei strydoedd: pobol fel

Gwilym R. Jones, Mathonwy Hughes a Kate Roberts. Safai'r castell yn goron uwchben y dre ac roedd strydoedd bach culion yn arwain i bob twll a chornel fel llwybrau cwningod. Roedd yno theatr wedi'i henwi ar ôl yr anterliwtiwr Twm o'r Nant, a safai cofgolofn i Evan Pierce a sicrhaodd fod cyflenwad o ddŵr glân yn y dre ar ôl i gannoedd golli'u bywydau o achos y colera. Yma hefyd roedd Gwasg Gee, oedd yn dal yn brysur yn y cyfnod hwn. Roedd y dre'n orlawn o dafarndai a marchnad fyrlymus ar ganol y stryd bob pnawn Mercher. Wrth gwrs, roedd llawer o bobol y dre'n gweithio yn Ysbyty'r Meddwl: anferth o adeilad mawr, smart yn cuddio pryderon sawl teulu ledled gogledd Cymru. Sawl tro y cydymdeimlwyd â Mam pan oedd hi'n dweud ei bod hi'n mynd 'i Ddimbach' i ngweld i; ystyr 'Dimbach' i bobol Môn ac Arfon oedd yr hen seilam.

Yng nghanol cyfnod y mudo, mi ges i amser i feirniadu yn Eisteddfod Llangwm. Ar ôl hynny awn yn ôl i Rosmeirch bob wythnos i hyfforddi Parti'r Ynys ar gyfer Eisteddfod Genedlaethol Maldwyn, gan lusgo Angharad ac Elysteg efo fi. Beth oedd ar 'y mhen i, dwch? Do'n i ddim yn gallu gollwng gafael.

Mae dau deulu'n arbennig yn dod i'r cof wrth feddwl am y cyfnod yna pan gyrhaeddon ni Ddinbych: teuluoedd John Glyn Jones a Dafydd Lloyd Jones. Roedd Helen a John Glyn yn byw ar yr un stad â ni, a chanddyn nhw dri o blant: Manon, Irfon ac Elliw. Bu Helen yn gefn mawr i mi a doedd dim yn drafferth ganddi. Byddai'n dod draw efo cacen yn aml, neu'n cynnig mynd â'r genod er mwyn i ni gael trefn ar bethau wrth ddadbacio. Do'n i ddim wedi cyfarfod â John Glyn tan i mi fynd i dŷ Helen un diwrnod i ofyn am ryw gymwynas neu'i gilydd. Cerddodd y dyn tawel 'ma i mewn yn ara, ara deg, efo sigarét yn ei geg, a nodio wrth fy mhasio yn y cyntedd. Wyddwn i ddim yn iawn pwy oedd o nes dwedodd Helen wedyn yn reit ddidaro: 'O, Glyn y gŵr oedd hwnna.' Pan es i adra mi ddwedais wrth Eifion mod i wedi gweld gŵr Helen, a'i fod o'n edrych braidd yn sych. Wrth gwrs, fedrwn i ddim bod ymhellach o'm lle, achos mi ddaeth John Glyn yn ffrind agos iawn i ni, efo'i hiwmor sychlyd a'i ffordd ddi-lol efo pawb. Mi glywch fwy amdano yn nes ymlaen.

Y teulu arall oedd Dafydd a Wendy Lloyd Jones a'u dau o blant, Sian a Ceri. Dyma ichi halen y ddaear os bu rhai rioed. Welais i neb tebyg iddyn nhw – yn barod i helpu pawb a phopeth. Doedd dim byd yn drafferth ganddyn nhw, a sawl tro daeth Wendy acw os oedd angen gwarchod neu unrhyw gymwynas arall. Oherwydd pobol fel hyn roedd hi'n hawdd iawn ymgartrefu yn y dre. Pobol fel hyn oedd, ac ydi, pobol Dinbych: does neb yn fawreddog yma, ac mae pob un yn cael ei drin yr un fath gan bawb.

Caneuon Grace a Siân

Cryn anrhydedd yng Ngorffennaf 1981 oedd cael gwahoddiad i recordio caneuon y cerddor a'r cyfansoddwr Mansel Thomas. Bu'n rhaid mynd i lawr i Neuadd y Brangwyn, Abertawe, i'w recordio gyda'r tenor Wynford Evans. Roedd o'n canu rhai o'r cyfansoddiadau a finna'r gweddill, a John Hywel yn cyfeilio inni ar y piano.

Dwi'n cofio'n iawn i mi godi ar y bore Sul a sylweddoli fod gen i ddolur gwddw, ond roedd rhaid teithio i lawr i'r de gyda John Hywel y diwrnod hwnnw. Doedd fawr o hwyl arna i ac ro'n i'n siomedig na fyddwn ar fy ngorau ar gyfer y recordio. Drannoeth, bu'n rhaid i mi fynd i weld meddyg yn Abertawe gan fod fy ngwddw'n waeth, ac wedyn roedd ganddon ni sesiwn ymarfer yng nghartref Mansel Thomas drwy'r dydd i baratoi at y recordio y diwrnod canlynol.

Braint oedd cael cyfarfod y cyfansoddwr ei hun a'r tenor enwog Wynford Evans, a gwrando ar sylwadau manwl Mansel sut roedd o isio i ni berfformio pob cân. Caneuon i blant wrando arnyn nhw a'u mwynhau ydyn nhw, yn hytrach na rhai i'r plant eu hunain eu perfformio – tydi rhai ohonyn nhw ddim yn hawdd o gwbl i'w canu!

Y diwrnod canlynol, a finna'n ratlo o benisilin, mi aethon ni i Neuadd y Brangwyn i recordio tri deg o ganeuon rhyngom – 'Caneuon Grace a Siân', a luniodd Mansel Thomas i'w ddwy ferch; 'Caneuon Siôn', ar eiriau T. Rowland Hughes, a 'Chaneuon y Misoedd' ar gerddi T. Llew Jones. Roedd un ddeuawd i'w chanu gyda Wynford, sef 'Seren Nadolig', sydd bellach wedi dod yn boblogaidd iawn. Dwi'n dal i drysori'r tair maniwsgript o'r caneuon sydd gen i yn llawysgrifen y cyfansoddwr ei hun.

Mae'n anhygoel meddwl ein bod ni wedi recordio'r cyfan mewn un diwrnod, ond yn sicr doedd fy llais i ddim ar ei orau ar y pryd. Fel y dywedodd Valerie Ellis yn ei hadolygiad o'r record yn *Y Cymro*: 'Mae rhyw lendid clinigol yn yr ymdriniaeth ond dichon fod llais pur Leah Owen yn swnio'n feinach ambell dro, fel petai'r recordio heb wneud cwbl chwarae teg ag ansawdd y llais.'

Na, doedd dim byd yn bod ar y recordio – fi oedd yn sâl!

Gwaeledd a galar

Pwy sy'n chwyrnu?

Pan oedd hi tua blwydd oed roedd Elysteg yn hogan fach
eiddil iawn, yn gyndyn o ennill pwysau er ei bod yn bwyta'n
iawn. Roedd hyn yn peri pryder i ni, ac roedd hi'n cael rhyw
aflwydd ar y gwaed yn aml iawn. Un peth roeddan ni wedi
sylwi arno oedd ei bod yn chwyrnu'n uchel wrth gysgu, ac
yn chwydu'n aml yn y nos. Yn ei chwsg byddai'n stopio
anadlu am gyfnodau, ac yna'n gwneud y sŵn rhyfedda wrth
ailafael yn ei hanadl.

Mi gawsom fynd â hi i weld arbenigwr yn Ysbyty Glan
Clwyd, ac es â recordiad ohoni'n chwyrnu efo fi iddo gael ei
glywed. Cafodd yr arbenigwr fraw pan glywodd y recordiad,
a darganfu fod ganddi donsils anferth – tebyg i rai hogia
wyth oed, medda fo. Trefnwyd fod Mr Hammad yn rhoi
triniaeth i dynnu'i thonsils a'i adenoids ar 26 Ebrill 1982.

Roedd hi'n edrych mor fach ac eiddil yn ei choban a'i chap
bach gwyn ar y troli oedd yn ei chludo i'r theatr yn Ysbyty
Glan Clwyd, yn ddim ond pymtheg mis oed. Mi siglais hi yn
fy mreichiau tra oedd hi'n cael yr anaesthetig ac yna allan â
fi i feichio crio. Mae gweld unrhyw blentyn bach yn mynd
am driniaeth, boed hi'n driniaeth fawr neu fach, yn achos
pryder i unrhyw riant.

Fore trannoeth roedd hi'n bwyta tost i frecwast ac yn
rhyfeddol o dda. Roedd hi'n anadlu'n llawer gwell ac yn

123

mynd o gwmpas â'i cheg ar gau. Wrth gwrs, gallai anadlu drwy'i thrwyn rŵan am y tro cynta, ac yn goron ar y cyfan dyma hi'n dweud 'Mam' am y tro cynta hefyd. Cyn hynny, dwi'n sicr ei bod wedi cael trafferth ynganu'r llythyren 'm'.

Daeth Mr Hammad i'n gweld ac i ddatgan ei fod yn hapus iawn efo hi. Gofynnodd a fydden ni'n fodlon iddo ddefnyddio stori Elysteg – y tâp ohoni'n chwyrnu, a maint ei thonsils – i ddangos i ddarpar ddoctoriaid sut roedd hogan fach bymtheg mis oed wedi cael tonsils maint rhai hogyn wyth oed!

Mi syrthiodd popeth i'w le iddi ar ôl hyn: enillodd bwysau, dechreuodd gerdded a siarad. A tydi hi ddim wedi stopio byth ers hynny!

Y salwch mawr

Y flwyddyn ganlynol brawychwyd ni pan gafodd Elysteg druan salwch llawer gwaeth. Mis Medi 1983 oedd hi, a hithau bron yn dair oed, ac wedi bod yn brysur yn dysgu adroddiad newydd i fynd i Eisteddfod Llansannan. Dwi hyd yn oed yn cofio mai 'Dim Parcio' gan Selwyn Griffith oedd y darn.

Mi ddeffrodd un bore a dweud, 'Dwi ddim yn hapus heddiw, Mam' – a dyna oedd ei hunig eiriau trwy'r dydd. Roedd ganddi wres uchel, roedd hi'n taflu i fyny ac yn llipa iawn. Mi benderfynais alw'r doctor ddiwedd y pnawn, a phan welodd o hi, dywedodd wrtha i am fynd â hi i Ysbyty Glan Clwyd gan ei bod yn *dehydrated* a chanddi wres o 108. Ffoniais Eifion yn ei waith yn yr Wyddgrug i ddweud wrtho am ddod adra'n syth. Diolch i'r drefn, roedd Mam yn digwydd bod acw, felly roedd hi'n gallu gofalu am Angharad.

Fel roeddan ni'n barod i fynd i'r car, cafodd Elysteg ffit.

Aeth ei llygaid i dop ei phen, yna aeth yn stiff a'i chorff bach yn ysgwyd i gyd. Roedd ffroth gwyn yn dod o'i cheg, ac mi barodd hyn am ryw ddau funud. Dyma redeg efo hi i'r car ac Eifion yn gyrru fel dyn gwyllt trwy bob golau coch at fynediad adran frys yr ysbyty. Wedi i Eifion barcio a dod at y fynedfa ei hun, roedd o'n gallu dilyn ein trywydd ni gan fod Elysteg druan wedi cael y deiaria mwya dychrynllyd oedd wedi llifo ar hyd llawr yr ysbyty, a thros fy nillad i i gyd.

Roedd y meddygon yn disgwyl amdani ac yn fy holi'n drwyadl am yr hyn oedd wedi digwydd. Roedd Elysteg yn dal yn hollol lipa a'i llygaid yn llonydd, ac roedd hi'n griddfan. Cafodd Eifion a finna ein gyrru i ystafell fechan i aros tra oedd y meddygon yn ceisio'i thrin hi. Roeddan ni wedi bod yno am hydoedd cyn i Dr Sutherland ddod i egluro fod Elysteg wedi cael sawl ffit arall a'i bod wedi stopio anadlu, a'i bod bellach ar beiriant anadlu. Roeddan ni'n dau bron â drysu, ac yn gweddïo y byddai'n dod trwyddi.

Am naw o'r gloch y noson honno penderfynwyd rhoi *lumbar puncture* iddi er mwyn gweld a oedd llid yr ymennydd arni. Am ddeg o'r gloch cawsom ei gweld, yn bibellau i gyd, yn llwyr ddibynnol ar y peiriant anadlu a llwyth o feddygon o gwmpas ei gwely yn ceisio dirnad beth oedd yn bod arni, gan i'r prawf ddangos nad llid yr ymennydd oedd achos ei salwch. Mi fuon ni'n eistedd wrth erchwyn ei gwely trwy'r nos yn gweddïo – gweddïo fel y byddai Yncl Gut yn ei wneud ers talwm yng nghapel Rhosmeirch. Gweddïo y byddai'n gwella.

Yn y bore tynnwyd hi oddi ar y peiriant anadlu, ac roedd ei gwres wedi dod i lawr ryw ychydig. Tynnwyd pibellau eraill oddi arni'n raddol, fesul un, ac erbyn amser cinio drannoeth dim ond y bibell ocsigen a'r drip oedd ganddi. Yn ara bach mi gryfhaodd, ac ymhen yr wythnos roedd hi wedi gwella digon i gael dod adra. Er ei bod yn wan, roedd hi wedi dechrau sgwrsio eto ac yn gofyn pryd roedd hi am gael mynd i adrodd i Eisteddfod Llansannan! Ac yn wir, ymhen tair wythnos roedd hi yn ei helfen ar y llwyfan yn Llansannan yn canu ac yn adrodd, a ninnau'n rhieni eithriadol o falch ohoni ac yn cyfri'n bendithion.

Aeth misoedd heibio cyn i ni gael gwybod yn iawn beth oedd ei salwch. Mae'n debyg mai enw'r aflwydd ydi Reye's Syndrome, a bod aspirin yn gallu ei greu. Ro'n i wedi rhoi aspirin i Elysteg i drio cael ei gwres i lawr, ac yn ôl gwaith ymchwil gafodd ei wneud yn America, mae'n debyg y gall aspirin achosi'r clefyd difrifol yma sy'n gallu effeithio ar yr ymennydd a'r iau. Oni bai ei fod yn cael ei drin ar fyrder gall achosi marwolaeth neu nam parhaol ar yr ymennydd. Rhwng haf 1981 a haf 1983 dioddefodd tua 80 ar draws y byd o'r clefyd hwn – bu 45 farw, cafodd 10 nam meddyliol a daeth 25 trwyddi'n iawn. Dim ond diolch bod Ysbyty Glan Clwyd o fewn taith frys i Ddinbych.

Bu Elysteg yn hynod lwcus, felly, ac mi gofiwn am byth ofal caredig meddygon a nyrsys Ysbyty Glan Clwyd yn ystod y cyfnod ofnadwy hwn.

Taid a Nain

Un o Dalsarnau, Meirionnydd, oedd Edgar Jones, tad Eifion, ac wedi'i fagu ar aelwyd fach Ty'n y Berth. Aeth oddi yno'n bymtheg oed i ddechrau ar oes o weithio'n gydwybodol i'r Rheilffyrdd Prydeinig mewn gwahanol orsafoedd ledled Cymru a'r Gororau. Ymfalchïai'n dawel na fu iddo golli diwrnod o waith gydol y blynyddoedd. Cyfarfu â Margaret, ei wraig, pan oedd o'n gweithio yn Felin-fach, ger Aberaeron: roedd hi'n ferch i'r Parchedig Timothy Lloyd Jones, gweinidog yr Annibynwyr yno. Yn Felin-fach y ganwyd Eifion, ond roedd y teulu wedi symud i fyw i dai cyngor Pensyflog ym Mhorthmadog cyn bod Eifion yn ddyflwydd, wrth i'w dad symud o signal bocs Felin-fach i signal bocs Porthmadog.

Fel y soniais eisoes, i Lechryd, ger Aberteifi, y symudon nhw wedyn, tua blwyddyn cyn i ni briodi, gan mai un o Lechryd oedd Nain yn wreiddiol. Dwi ddim yn meddwl bod Taid wedi dymuno mynd i fyw i'r de ond, a nhwytha bellach yn daid a nain, mi benderfynon nhw symud yn ôl i'r gogledd er mwyn cael treulio mwy o amser gyda'u hwyresau bach. Ym Medi 1982 daeth y ddau i fyw i Henllan, pentre bach ryw dair milltir i ffwrdd oddi wrthon ni yn Ninbych.

Doedd Nain ddim yn ddynes gref iawn o ran ei hiechyd ac felly Taid fyddai'n gwneud popeth, bron, o gwmpas y tŷ. Wrth baratoi i symud i'w cartref newydd roedd o wedi gofalu y byddai'r byngalo bach fel palas i'r ddau. Ond lai na phythefnos ar ôl iddyn nhw fudo, roedd y ddau'n teithio i briodas yn y de ac wedi aros yn Aberteifi i ymweld â ffrind i Nain. Mae'n debyg fod Taid wedi mynd allan o'r tŷ am smôc ryw ben, a Nain yn ei weld o'n hir, felly mi aeth hi a'i ffrind allan i chwilio amdano fo. Roedd y creadur wedi cael trawiad ar y galon ac wedi syrthio'n farw yn y fan a'r lle.

Roedd hyn yn sioc enfawr inni i gyd – ac yn enwedig i Nain, wrth gwrs. Daeth galwad ffôn acw gan feddyg yn egluro'r hyn oedd wedi digwydd, ac aeth Eifion i lawr i Aberteifi'n syth i fod yn gefn i'w fam. Yn ei angladd rhoddodd y Parchedig Hugh Rowlands deyrnged bersonol i'w gyfaill, a chyfeiriodd at dri o nodweddion Taid, sef ei dawelwch, ei dynerwch a'i deyrngarwch i'w briod, ei deulu a'i Grist.

Ychydig wythnosau'n ddiweddarach daeth gwraig acw i ddatgan ei chydymdeimlad. Roedd hi'n amlwg ar wyneb Eifion nad oedd ganddo fo'r syniad lleia pwy oedd hi, ac yn sicr doedd gen i ddim clem. Dyma'i chroesawu i'r tŷ a dechrau mân siarad. Yn ystod y sgwrs mi soniodd rywbeth am wraig gynta Taid. Roeddan ni'n dau'n sbio'n hurt arni ac yn ei sicrhau na fuodd Taid yn briod o'r blaen, a holi tybed a oedd hi wedi dod i'r tŷ cywir? 'Edgar oedd eich tad, yntê?' medda hi wedyn. 'Ia,' medda Eifion yn syn. 'Wel, enw gwraig gynta'ch tad oedd Georgina, ac mi fu hi farw ar enedigaeth ei phlentyn cynta.' Sicrhaodd Eifion hi unwaith eto na fu ei dad yn briod o'r blaen, a bod rhyw gamddealltwriaeth yn rhywle. Fe adawodd y wraig yn fuan a welson ni byth mohoni hi wedyn.

Ar ôl yr ymweliad rhyfedd hwn bu Eifion a finna'n pendroni dros yr hyn roedd y wraig wedi'i ddweud, a dyma benderfynu holi aelodau eraill o'r teulu. Aeth Eifion at Alun Rhys, ei gefnder, a gofyn i hwnnw holi'i dad, ac yn wir i chi, roedd Taid wedi bod yn briod o'r blaen, a'i wraig wedi marw cyn genedigaeth ei phlentyn. Mae'n debyg mai yn 1940 yng Nghapel y Tabernacl, Aberystwyth, y priodon nhw, ac mai'r Parchedig J. E. Meredith a'u priododd. Roedd Georgina Edwards yn gwisgo ffrog felfed goch ar ei diwrnod arbennig – arwydd o anlwc, medd rhai. Mae wedi'i chladdu rywle yn Aberystwyth. Sut yn y byd roedd hyn wedi'i gadw oddi wrth Eifion dros yr holl flynyddoedd, heb i neb sôn gair, dwn i ddim.

Dwi'm yn meddwl bod mam Eifion wedi cymryd ata i'n iawn, yn wahanol i'w dad. Roedd hi'n dal yn siomedig bod

Eifion wedi torri'i ddyweddïad efo'i gariad cynta, yr oedd Nain mor hoff ohoni – er i hynny ddigwydd cyn i ni'n dau ddechrau cyboli. Dynes fewnblyg yn cadw'i meddyliau iddi'i hun oedd hi, ac yn gyndyn o rannu'i theimladau efo neb. Roedd hi fel petai'n amharod i gydnabod bod Taid wedi marw, a ddim isio sôn amdano fo o gwbwl. Dyna pam, medda Eifion, na wnaeth o ei holi hi am y briodas gynta honno.

Mae'n debyg mai methu galaru'n iawn a arweiniodd at y salwch meddwl a ddatblygodd pan oedd hi'n byw ar ei phen ei hun yn Henllan. Y cynta wydden ni am hynny oedd cyrraedd adra un noson a hitha wedi bod yn gwarchod y plant, a gweld ei thabledi wedi'u taflu'n gonffeti ar hyd y grisiau, powdwr talc fel eira dros y stafell molchi, ac Angharad yn chwys doman yn ei chesail yn y gwely. Mi wylltiais efo hi, yn naturiol, heb sylweddoli nad oedd hi'n gwbl gyfrifol erbyn hynny.

Trefnodd Eifion iddi weld y doctor, ac aed â hi i uned y Gwynfryn yma yn Ninbych. Ar ôl cyfnod byr ar ryw dabledi newydd daeth ati'i hun yn rhyfeddol, a mynnu mynd yn ôl i fyw ar ei phen ei hun yn Henllan. Bu yno tan Chwefror 1989 pan aed â hi i'r Inffyrmari yn Ninbych i gael cryfhau ar ôl cyfnod arall o salwch. Ond ryw fore, daeth galwad o'r ysbyty yn ystod yr oriau mân i ddweud ei bod hi wedi'n gadael. Er ei gwaeledd aml, daeth y diwedd iddi hithau bron mor sydyn ag i Taid – y ddau wedi mynd cyn i Eifion gael cyfle i ffarwelio â nhw.

Prysurdeb Dyffryn Clwyd

Meibion Twm o'r Nant

Yn ôl â ni rŵan i 1983 – tua blwyddyn ar ôl i ni ymgartrefu yn Ninbych. Yn ystod y flwyddyn honno roedd sawl un wedi bod yn fy holi tybed fyddai gen i ddiddordeb sefydlu parti meibion yn y dre. Yn sicr, doedd dim prinder cantorion yn yr ardal, a buan iawn y ffurfiwyd parti a'i alw'n Meibion Twm o'r Nant.

Roedd Eifion yn canu bas yn y parti, ac felly, er mwyn osgoi gorfod cael rhywun i warchod Angharad ac Elysteg, trefnwyd i gynnal yr ymarferion acw bob nos Sul. Roedd un ar bymtheg yn y parti gwreiddiol – yn eu plith ffermwyr, bancwyr, gweinidog, trydanwr, dreifar fan londri, perchennog ffatri, ambell athro . . . ac, o ia, un meddyg – roedd hi'n handi ei gael o ar ôl noson wael!

Roeddan ni'n cael toman o hwyl yn yr ymarferion gan fod cymeriadau lliwgar ymysg yr aelodau, ond o, roeddan nhw'n cymryd hydoedd i ddysgu cân! 'Doeddwn i wedi arfer efo Parti'r Ynys yn dysgu caneuon fel fflamia – nid rhyw lusgo o wythnos i wythnos a dyrnu ar y nodau. Ond buan iawn y cawson ni flas ar gystadlu, a chynnal cyngherddau yn lleol a thros Gymru gyfan.

Roedd yr hogia'n ddawnus ac yn gallu cyfrannu'n unigol wrth inni gynnal nosweithiau llawen, gyda'r diweddar Barchedig Gwilym Ceiriog Evans yn arwain yn ei ffordd annwyl ei hun. Mi gymrodd flwyddyn dda i ni gyrraedd y brig. Yng Ngŵyl Cerdd Dant y Bala y digwyddodd hynny – nid am ganu cerdd dant, ond yn y gystadleuaeth i'r partïon gwerin, gan guro tri ar ddeg o bartïon eraill.

Dyma englyn ges i gan yr hogia yn dilyn hynny, wedi'i lunio gan Robin Llwyd ab Owain:

> Dy hir wên, nid yr ennill – dy dalent
> a dy hwyl, nid ebill
> a'n harwain trwy sain pob sill:
> clawdd a nawdd – be sy'n weddill?

Mi ges bum mlynedd hapus iawn efo'r hogia, ond ro'n i'n awyddus i symud ymlaen a chychwyn rhywbeth gwahanol eto. Dyna fy natur i wedi bod erioed: os bydda i'n teimlo mod i wedi gwneud yr hyn a alla i ac na fedra i symud ymlaen ymhellach, yna mae'n bryd rhoi cychwyn ar rywbeth newydd. Dwi'n falch o ddweud fod Meibion Twm o'r Nant wedi dal ati am flynyddoedd wedyn dan arweiniad Mair Beech Williams ac yna Vera Savage.

Yn y cyfnod yma, hefyd, gofynnwyd i mi a fyddwn i'n fodlon hyfforddi plant Ysgol Glan Clwyd i ganu cerdd dant. Gan mod i bellach wedi rhoi'r gorau i Barti'r Ynys, roedd hi'n braf cael y cyfle i gydweithio â phobol ifanc unwaith eto. Mae'n rhyfedd sut mae ansawdd lleisiol pob ardal yn wahanol i'w gilydd: roedd lleisiau merched Ysgol Glan Clwyd yn llawer ysgafnach na'r criw oedd gen i ym Môn, ac efallai nad oeddan nhw ar y dechrau mor awyddus i roi dipyn o 'wmff' yn y canu. Ond buan iawn y daethon ni i ddeall ein gilydd, a daeth llwyddiant i'w rhan yn y steddfodau a'r gwyliau cenedlaethol.

Yn drist iawn, bu farw cyn-athro Cerdd Ysgol Glan Clwyd,

Gilmor Griffiths, yn 1985, a gofynnwyd i mi fynd â pharti o'r ysgol i ganu yn ei angladd. Roedd hwn yn brofiad emosiynol iawn i'r genod; roedd Gilmor wedi cyfrannu cymaint i'r ysgol ac, yn wir, i gerddoriaeth Cymru. Roedd y gwasanaeth yng nghapel Llithfaen yn Llŷn yn un a gofia i am byth.

Help dau arall

Doedd dim prinder cyngherddau i mi fel cantores unigol yn yr wythdegau, a chefais sawl cyfle i ymddangos ar raglenni teledu fel *Gwraidd y Gainc*, *Rhaglen Hywel Gwynfryn*, *Cais am Gân*, *Gwerin*, *Noson Lawen* a *Taro Tant*. Dyma'r cyfnod, hefyd, y recordiais fy nhrydedd record, sef *Y Gyfrinach Fawr*, a ddaeth allan erbyn Nadolig 1983. Ces brofiadau cerddorol eraill difyr yn y cyfnod yma, fel beirniadu *Cân i Gymru* pan enillodd Huw Chiswell gyda'r clasur enwog 'Y Cwm'; arwain cymanfa ganu am y tro cynta yn Llandrygarn, Môn; canu mewn opera roc yn Eisteddfod Genedlaethol y Rhyl, a pherfformio ym mhrif theatrau Cymru gyda'r sioe *Moses* gan Rhys Jones a Bob Roberts.

Gan fod fy nghaneuon i bellach wedi hen ddatblygu o fod yn rhai syml 'tri chord', ro'n i'n teimlo'i bod hi'n amser i mi gael rhywun i gyfeilio i mi yn y cyngherddau. Roedd Ann Hopcyn wedi bod yn gefn i mi am gyfnod maith, chwarae teg iddi, ond gan ein bod ni'n byw ymhellach oddi wrth ein gilydd erbyn hyn, doedd hi ddim mor hawdd cael cyfle i ymarfer. Ar ôl holi'r ddau, mi gytunodd Robat Arwyn i gyfeilio ar y piano a John Carrington ar y gitâr. Roedd hyn fel ennill y loteri: nid yn unig roedd gen i ddau gyfeilydd penigamp, ond dau gyfansoddwr hefyd.

Buan iawn y chwyddodd y *repertoire*, a diolch i gyfansoddiadau Arwyn a John roedd 'na fwy o amrywiaeth yn y caneuon. Roedd hi'n braf hefyd cael cwmni i fynd i'r cyngherddau a chael cyd-drafod wedyn sut roedd petha wedi mynd. Yn 1987 mi gydgyfansoddodd John ac Eifion gân o'r enw 'Pelydrau'r Gwenwyn' ar gyfer y gystadleuaeth *Cân i Gymru*, a chyrhaeddodd y gân yr wyth ola. Ces y fraint o'i pherfformio'n fyw ar y rhaglen, ond ro'n i'n swp sâl cyn inni fynd ar yr awyr ac yn sobor o nerfus. Wnes i fawr o gyfiawnder â hi, yn anffodus. I mi gael hel esgusodion, doedd y ffrog a'r colur ges i gan y cwmni teledu'n ddim help, chwaith. Dwi'n meddwl i Bethan Gwanas fy ngalw'n 'dreiffl ar goesa' wrth adolygu'r rhaglen ar y pryd!

Dwi'n cofio inni gael gwahoddiad, un tro, i ganu yng Ngwesty'r Pale, Llandderfel, i bobol reit bwysig o'r Cenhedloedd Unedig. Roedd yno biano grand – un wen – ond dim ond rhyw ddwsin o bobol oedd yn gwrando. Mi gafodd yr hogia bwl o chwerthin wrth fy nghlywed yn trio cyflwyno'r caneuon yn Saesneg. Do'n i ddim wedi paratoi, ac felly tila iawn oedd y cyfieithu: 'And now I'm going to sing "Yr Hen Gymraes" ("The Old Welsh Lady"). The song after that will be "Os Daw fy Nghariad" ("If my Lover Comes")!' Mi gafon ni lwyth o hwyl, a diolch ichi, hogia, am fod yn gefn i mi yn y cyfnod prysur yna.

Yn fuan iawn roedd gen i ddigon o ganeuon ar gyfer record arall, a Gareth Hughes Jones gynhyrchodd hon yn Stiwdio Sain. O bosib mai hon ydi'r record sydd wedi fy mhlesio ora o bob un wnes i ei recordio. Cafwyd cyngerdd i lansio *Ail Gynnau'r Tân* yn Neuadd y Dref, Dinbych, ac roedd y lle dan ei sang, gyda Gari Williams yn arwain, ac artistiaid fel Rosalind a Myrddin a Dafydd Iwan wedi dod i fy nghefnogi ar y noson. Cafodd yr elw o £800 ei roi i'r Urdd gan fod y mudiad yn mynd trwy argyfwng ariannol ar y pryd. Roedd hi mor braf cael canu efo band llawn a system sain o ansawdd dda.

Soar-y-Mynydd

Rhyw ddydd Sadwrn yn ystod Awst 1985 roedd Eifion a finna wedi bod ym mhriodas aelod o'r teulu yng Ngheredigion, a drannoeth roedd criw bach ohonon ni awydd mynd i wasanaeth yn Soar-y-Mynydd gan ein bod yn aros yn yr ardal. Roedd y capel dan ei sang a bu raid i ni eistedd yn y cefn. Roedd pobol o bob rhan o Gymru wedi dod yno, yn cynnwys dau lond bws – un o'r Bala a'r llall o Temple Bar – ac roeddan nhw'n cario meinciau ar hyd y llwybrau er mwyn i bobol gael lle i eistedd.

Y Parchedig Emlyn Richards o Gemais, Môn, oedd y pregethwr gwadd y Sul hwnnw, ac roedd o yn ei hwylia gora fel arfer. Yn anffodus, mi sylwodd arna i yn ystod yr emyn cynta, a chyn iddo ddarllen o'r Beibl dyma fo'n dweud, 'Dwi newydd weld yr hen hogan o Fôn yn fan'cw; dwi'n siŵr y gwnaiff Leah ddod i'r blaen i ganu'r emyn nesa. Gei di ddewis be tisio ganu, mach i.'

Wel, sôn am banics! I ddechra, be o'n i am ganu? Ac yn ail, sut goblyn o'n i'n mynd i gyrraedd y sêt fawr a phob llwybr yn llawn o bobol, a'r rheiny wedi'u gwasgu at ei gilydd fel sardîns? Dyma agor y llyfr emynau ar yr emyn 'Pechadur wyf, o Arglwydd' ar y dôn 'Whitford', a phenderfynu'i chanu'n ddigyfeiliant. 'Tyd i'r blaen, 'y mach i,' medda Mr Richards – felly doedd dim amdani ond camu dros y seti o'r top i'r gwaelod, gan sathru ambell un ar y ffordd. Wrth ganu, mi synnes fy hun pa mor effeithiol oedd y dôn 'Whitford' o'i chanu'n ddigyfeiliant. Roedd o'n brofiad bythgofiadwy i mi.

Telynores fyrhoedlog

Pan oedd y genod yn fach ac wedi dechrau yn yr ysgol, mi benderfynais yr hoffwn ddysgu canu'r delyn. Roedd sawl un yn cymryd yn ganiataol mod i'n delynores am mod i'n canu cerdd dant. Dyma feddwl unwaith eto gymaint gwell fasa hi wedi bod taswn i wedi cael gwersi telyn yn yr ysgol yn lle'r *cello*!

Y cam cynta oedd gwagio'r cadw-mi-gei a chwilio am delyn ail-law. Yn ffodus roedd Siân Eirian o Langybi, un o nisgyblion, isio gwerthu'i thelyn, ac felly dyma gytuno ar bris efo Iestyn Hughes, ei thad, ac mi ddois i'n berchennog ar delyn Angelica hardd. Y cam nesa oedd holi am wersi, a chysylltais â Mair Selway oedd yn byw yn Llansannan ar y pryd. Cytunodd Mair i roi gwers i mi bob bore Llun.

Ro'n i wrth fy modd yn ceisio meistroli'r grefft newydd. Mi ddysgais nifer o alawon bach syml ar y dechrau, ac yna penderfynu mod i am roi cynnig ar yr arholiadau. Mi es cyn belled â Gradd 3, ond rhoi'r gora iddi fu raid wedyn gan nad oedd gen i ddigon o amser i ymarfer. Ro'n i'n teimlo fel hogan fach ddrwg, weithiau, yn mynd am fy ngwers ac yn rhestru'r holl resymau pam nad o'n i wedi ymarfer! Wrth reswm, dwi'n difaru heddiw na fyddwn i wedi *gwneud* amser a dyfalbarhau.

Mi gafodd y delyn ddefnydd maes o law pan ddaeth y genod yn ddigon hen i gael gwersi, a bu Angharad yn ffodus o ennill yn Steddfod yr Urdd am ganu'r delyn dan ddeuddeg oed. Ond er i'r ddwy rygnu mynd i'w gwersi telyn tra buon nhw yng Nglan Clwyd, doedd eu calon nhw ddim yn y peth, a buan iawn roedd yr hen Angelica'n sefyll yn unig yn ei chornel yn holi i be oedd hi'n da. Do'n i ddim yn hapus yn ei chadw a neb yn gwneud defnydd ohoni, felly dyma gysylltu efo Dafydd Huw, y telynor, a gofyn iddo a wyddai o am rywun fyddai'n hoffi ei phrynu. Cyn diwedd yr wythnos, roedd y gornel yn wag a'r delyn wedi cael cartre newydd.

Fi'n bolitisian? Dim ffiars o beryg!

Yn 1987 ac 1992 bu Eifion yn ymgeisydd Plaid Cymru yn etholiadau senedd San Steffan. Roedd ymgeisydd blaenorol y Blaid yn yr ardal yma, Ieuan Wyn, newydd symud i Fôn (i Rosmeirch). Roedd gen inna brofiad canfasio ers y dyddiau hynny pan arferwn fynd o gwmpas Sir Fôn efo John Lasarus yn stwffio pamffledi trwy ddrysau. Do'n i ddim yn un i fynd i drafodaethau dwfn ar stepan drws pobol!

Etholaeth De-orllewin Clwyd oedd yr ail fwya ei maint yng Nghymru, yn ymestyn o Ddinbych i Lanrhaeadr-ym-Mochnant ac o Bentrefoelas i Loegr! Mi gerddais filltiroedd yn y cyfnod hwnnw, ond dwi'n ddigon balch na wnaeth Eifion fy ngadael am Lundain.

Dwi'n cofio mynd i ganfasio un tro yng nghwmni'r Parchedig Huw Jones, y Bala, i ardal Corwen. Daeth rhyw hen wraig i'r drws yng Nglyndyfrdwy a'n gwadd ni i mewn yn llawen. Roedd hi wedi gwirioni ei bod wedi'n cyfarfod ni, ac yn mwydro am y fraint o gael canwr a chantores yn ei pharlwr. Roedd Huw a finna'n sbio'n hurt ar ein gilydd. 'Fedra i'm aros,' medda hi, 'i ddeud wrth y gŵr heno bod Leah Owen a Syr Geraint Evans wedi bod yma.' Doniolwch y sefyllfa oedd bod Huw wedi mynd efo'i stori hi, gan gymryd arno mai Syr Geraint oedd o go iawn! Mi fasa wedi bod yn bechod dadrithio'r hen wraig.

Côr Merched Glyndŵr

Ar ôl i gyfnod Meibion Twm o'r Nant ddod i ben, daeth yr

ysfa i ddechrau rhywbeth newydd eto, felly dyma benderfynu sefydlu côr cerdd dant i ferched y tro yma. Roedd nifer o famau ifanc wedi sôn y bydden nhw wrth eu bodd yn cael bod yn rhan o gôr, ac y byddai'n esgus da i gael noson allan. Symbyliad arall i gychwyn y côr oedd ista yn yr Ŵyl Ysgol Sul yn y Capel Mawr, Dinbych, yn gwrando ar gystadleuaeth y partïon cerdd dant. Roedd tua pump i chwech o bartïon yn cystadlu yn erbyn ei gilydd, a lleisiau arbennig ym mhob un ohonyn nhw. Mi feddyliais sut y byddai'r cyfan yn swnio efo'i gilydd, a phenderfynu eu holi fyddai ganddyn nhw ddiddordeb mewn bod yn perthyn i gôr.

Ro'n i wedi gosod rhyw ugain sedd yn neuadd Ysgol Twm o'r Nant ar gyfer yr ymarfer cynta, ond llifo i mewn wnaeth y merched a finna'n chwys doman yn chwilio am gadeiriau i bawb, ac yn meddwl sut goblyn ro'n i am reoli côr o dros naw deg o leisiau! Roedd yno ferched o bob oed, rhai'n brofiadol a llawer yn ddi-glem. Ond ro'n i mor falch o weld y gefnogaeth, hefyd. Mi benderfynais ddweud wrthyn nhw mod i am roi gwrandawiad byr yr wythnos ganlynol i weld pa lais oedd gan bawb, er mwyn didoli'r altos a'r sopranos, ac o gyhoeddi hyn mi jibiodd tuag ugain cyn yr ail ymarfer fel na fu rhaid sylwi mor fanwl ar y lleisiau unigol. Ond roeddan ni'n gôr cerdd dant mawr ym mhob ystyr i'r gair!

Paratoi at Eisteddfod Genedlaethol Llanrwst oedd ein tasg gynta, a thua saith deg ohonon ni aeth ati i feistroli 'Cwm Carnedd' ac 'Emyn Diolch'. O ystyried ein bod wedi canu heb ddillad – na, na, heb *iwnifform* dwi'n ei feddwl – canmoladwy iawn oedd ein trydydd safle yn y brifwyl. Mi aethom ymlaen wedyn i'r Ŵyl Cerdd Dant ym Mhontrhydfendigaid, a gwirioni wrth ddod i'r brig. Roeddan ni'n aros yng Ngwesty'r Marine yn Aberystwyth y noson honno, ac ar ôl disychedu'n hunain yn y bar tan oriau mân y bore, aethom i ddathlu'n buddugoliaeth trwy ymdrochi yn y môr yn ein dillad. O edrych yn ôl, doedd hyn ddim yn syniad rhy gall o gofio stad ambell un!

Mi gawson ni sbel reit dda o hynny mlaen, a'r gwobrau'n llifo. Ar ôl Gŵyl Cerdd Dant Bangor a ninna wedi curo deg côr arall, penderfynodd y genod eu bod yn haeddu iwnifform. Dydw i ddim yn un i rwdlan a ffysian am ddillad, a tydi ffendio dillad i siwtio wyth deg o ferched, o bob oed, hyd a lled, ddim yn beth hawdd, coeliwch chi fi. Bu'n rhaid penodi dwy Feistres y Gwisgoedd: un oedd yn handi efo nodwydd, Wendy Owens, a'n hysgrifenyddes, Mair Roberts. Wendy Lloyd Jones, ein trysoryddes, fu'n cyfri'r arian oedd yn y coffrau, ac ymhen dim roeddan ni'n hynod o smart yn ein gwisgoedd blodeuog piwsi-glas.

Dwi ddim yn meddwl bod 'na gôr yn unlle oedd yn gystal chwerthwrs â Merched Glyndŵr – hynny am fod 'na gymeriada yn eu mysg. Mi gawson ni oria o fwynhad yng nghwmni'n gilydd ac ambell dro trwstan hefyd. Dwi'n cofio Eirian Parry yn disgyn trwy'r gwely yn y Marine yn Aberystwyth, a hynny'n ffitio'n berffaith efo rhan o'r gân roeddan ni newydd fod yn ei chanu ym Mhontrhydfendigaid y noson honno, sef 'torrodd y cortyn dan y gwely'. Y dreifar bws o Wyddel, wedyn, oedd yn ein cludo i'r Ŵyl Ban Geltaidd gan anwybyddu pob golau coch, ac a aeth â ni ar goll ar hyd ffyrdd cul Iwerddon a'r bws yn torri i lawr bob munud.

Dwi'n cofio i mi dorri ar draws cystadleuaeth arbrofol yn yr Ŵyl Cerdd Dant yn Llangefni pan oedd y côr newydd ddechrau ar eu perfformiad ar y llwyfan. Roedd diffyg ar y meicroffons, a theimlwn fod hyn yn annheg, a ninna wedi treulio wythnosau o waith caled yn paratoi. Stopiwyd y gystadleuaeth ond mae'n debyg bod meicroffon Angharad, oedd yn llefaru fel rhan o'r perfformiad, yn dal ymlaen ar ochr y llwyfan, ac mi glywodd y genedl hi'n rhegi ar y teledu – 'O *blip blip,* be ma Mam yn drio'i neud? Am g'wilydd!'

Chwiws neu biwied (pryfed i chi) oedd yn ein poeni yn Eisteddfod Llangwm, a phawb yn dod oddi yno fel tasa'r frech goch arnon ni.

Do, mi fuon ni'n hynod o brysur yn cynnal cyngherddau, yn ymddangos ar y teledu ac, yn goron ar y cyfan, yn recordio tair ar ddeg o ganeuon gyda chwmni Sain. Ond er mor brysur oedd y cyfnod, yr atgofion am y gwmnïaeth hwyliog sy'n aros yn benna yn y co'.

Wedi chwe blynedd efo'r genod, rhaid oedd symud ymlaen eto, achos mae popeth da yn dod i ben.

Gwefr a gwewyr

Mam pwshi ac ail hatsiad!

Dwi'n cyfadde mod i wedi bod yn un o'r mamau pwshi 'na. Fedrwn i ddim aros i'r genod dyfu'n ddigon mawr i ddechrau mynd â nhw i steddfodau. Dim ond dwy a hanner oedd Angharad pan es i â hi i Eisteddfod Cylchdaith y Wesleaid yn Ysgol Uwchradd Llangefni. Roedd hi'n hollol gartrefol ar y llwyfan, ac mi ganodd 'El dy fod yn flenin, mawl mewn palch a blî' allan o diwn yn rhacs. Yna tynnu ar odra trowsus yr arweinydd, y Parchedig Erfyl Blainey, i gael canu eto'n syth ar ôl iddi orffen.

Fu dim stop arni ar ôl hynny. Mynd o steddfod i steddfod, gwirioni a siomi bob yn ail, dysgu ennill a cholli. Yn rhyfedd iawn, roedd y genod yn cael hwyl ar y busnas llefaru 'ma – llawer mwy o hwyl nag a ges i erioed. Roedd ganddyn nhw hefyd lawer mwy o hyder nag a fyddai gen i, ac roedd perfformio'n hwyl iddyn nhw. Do, mi gawson nhw lwyddiannau dros y blynyddoedd wrth ganu ac adrodd, ond wna i mo'ch diflasu chi trwy eu rhestru.

Pan oedd Angharad yn naw oed ac Elysteg yn saith, dyma ddarganfod bod 'na gyw bach arall ar ei ffordd. Ganwyd Ynyr ar 20 Mai 1988, yn hogyn nobl 9 pwys 14 owns. Erbyn hyn roedd y 'clytiau taflu' wedi cyrraedd, ac roedd hynny'n gwneud bywyd yn haws o lawer. Dim mwy o roi clytiau i fwydo mewn bwced, a'u berwi wedyn cyn eu sychu a'u rhoi yn ôl ar din y babi. Doeddan ni ddim yn poeni cymaint am yr amgylchedd bryd hynny! Unwaith eto, bu Mam a Dad yn gefn mawr i ni, yn gwarchod ac yn helpu efo'r gwaith tŷ. Roedd y genod hefyd wrth eu boddau'n cael bod yn famis bach i'w brawd newydd.

Lleucu

Prin bod Ynyr wedi troi ei flwydd pan sylweddolais mod i'n disgwyl eto! Mi fyddai'n braf iddo gael cwmni i chwarae wrth iddo dyfu i fyny. Gan y byddwn i'n dri deg chwech pan fyddai'r babi'n cael ei eni, bu'n rhaid i mi fynd am y prawf *amniocentesis*. Yn fuan ar ôl y prawf, aethom fel teulu ar wyliau i Ffrainc, a chael amser gwerth chweil yng nghwmni John Glyn a Helen a'r plant, a ffrindia eraill i ni – Dafydd Parri, ei wraig Delyth a'r genod bach.

Ond yn syth ar ôl cyrraedd adra, ces alwad ffôn o Ysbyty Llanelwy yn dweud eu bod wedi darganfod bod rhywbeth yn bod ar y babi. Trefnwyd i Eifion a finna fynd i weld y meddyg y diwrnod canlynol yn Ysbyty Alexandra yn y Rhyl.

Ro'n i bum mis yn feichiog pan gerddodd Eifion a finna i mewn i'r stafell fechan i gyfarfod y Dr Helen Hughes. Roedd yr hyn oedd ganddi hi i'w ddweud yn ddyrys a difrifol, ac roedd fy meddwl i dros y lle i gyd wrth geisio'i deall hi. Eglurodd bod diffyg ar y cromosomau oedd yn penderfynu beth fyddai rhyw y babi – a dyna pryd y deallais mod i'n cario hogan fach. Dwi'n cofio'r dagrau'n llenwi fy llygaid wrth glywed hyn, gan mod i wedi meddwl ei galw'n Lleucu os mai hogan bach fyddai hi. Llwyd oedd cyfenw'r plant i gyd.

Aeth y doctor ymlaen i egluro pethau ymhellach: yn gynnar yn y beichiogrwydd, wrth i'r celloedd ddechrau gwahanu, roedd y cromosonau rhyw wedi'u rhannu'n anghyfartal, gan adael un X yn hanner y celloedd a thair X yn yr hanner arall. Roedd pob cell a dyfai ar ôl hynny yn adlewyrchu'r un rhaniad anghyfartal, ac er na fyddai'r effaith yn amharu ar ryw y babi, mi fyddai sgileffeithiau eraill yn debygol o andwyo twf a bywyd y fechan. Rhestrodd y meddyg nifer o broblemau oedd yn debygol o godi, yn cynnwys problemau corfforol a meddyliol. Doedd dim modd darogan chwaith a fyddai geni naturiol yn bosib, nac am ba hyd y byddai'r fechan fyw.

Yn nhawelwch y car ar y ffordd adra roedd raid penderfynu mor fuan â phosib be oeddan ni am ei wneud. Roedd cymaint i'w ystyried. Credai Eifion yn syth mai cael erthyliad fyddai ora, ond do'n i ddim mor siŵr. Ro'n i'n teimlo'r babi y tu mewn i mi, ac erbyn hyn roedd ganddi enw, Lleucu. Roedd geiriau Dr Helen Hughes yn troi a throi yn 'y mhen i, a'r holl broblemau fyddai'n wynebu Lleucu fach yn gwneud i mi amau a ddylwn i ddod â hi i'r byd i'w gweld yn diodde o ddydd i ddydd. Petai'r problemau oedd ganddi ddim yn rhai mor ddifrifol, dwi'n credu y gallwn fod wedi ymdopi'n iawn, ond o wybod sawl nam corfforol a meddyliol oedd ganddi, mi benderfynais innau mai cael erthyliad fyddai orau. Wedi cyrraedd adra i fwrlwm y tri phlentyn iach oedd ganddon ni, mi sylweddolais y byddai eu bywyd hwythau hefyd yn newid yn llwyr petawn i'n geni Lleucu. Mi fyddai rhai'n dweud mod i'n hunanol, mae'n debyg, ond dyma'r penderfyniad anodda i mi orfod ei wneud erioed.

Ymhen deuddydd ro'n i'n ôl yn Ysbyty Alexandra, y Rhyl, yn cael erthyliad. Dwi ddim am fynd i fanylder yma ond dyna'r poenau gwaetha i mi eu cael erioed. Ton ar ôl ton o boenau am oria – ond y fi oedd wedi dewis y llwybr yma, ac ro'n i'n haeddu'r holl boen. Roedd y cyfan yn gyfiawn. Yn wir, roedd rhyw gysur od yn y ffaith mod i'n gorfod diodde'r arteithiau, fel petaen nhw'n iawn am fy newis. Roedd hi'n haws diodde'r gwewyr wrth feddwl felly. Wrth gwrs, roedd Eifion wedi rhannu'r dewis efo fi ac wedi cytuno'n llwyr nad oedd 'na ddim dewis arall, ond doedd hynny'n cyfri dim ar yr adeg honno. Fi oedd yn diodde am yr hyn ro'n i'n ei wneud.

Ar y dydd cynta o Hydref 1989, fe anwyd Lleucu am chwarter i bedwar y bore. Fedra i ddim disgrifio'r profiad pan gyrhaeddodd hi. Profiad o wacter a phrofiad fel chwydu. Mi ges afael ynddi am funud, ac wrth edrych arni roedd hi'n amlwg ein bod wedi gwneud y penderfyniad iawn, druan fach. Rhois sws ar ei thalcen cyn ei rhoi yn ôl i'r nyrs. Roedd y wawr yn araf dorri wrth i mi glywed drws yr ystafell yn cau ar ôl un na welwn i fyth mohoni eto.

Mi sgwennodd Eifion delyneg i gofio Lleucu:

> Rhythu trwy'r ffenestr fain
> ar waed cynta'r hydref yn y dail,
>   a thra bo'r meddyg yn egluro
> wrth glustiau byddar,
>   y brigau briw yn toddi i'w gilydd
>   wrth i'r dagrau gronni;
>   deall, ond methu derbyn
>   bod y celloedd bach ar chwâl;
>   derbyn, ond methu deall
>   pam mai ni
>   oedd yn pennu ei thynged.
>
> Gyrru adra drachefn
> ymhen deuddydd,

143

dim ond dau
mewn car gwag,
   a gwylio'r gwaed yn y dail
   ar frigyn briw
     y cyntaf o Hydref
     bob blwyddyn.

Y mis Ebrill canlynol mi ddarganfyddais mod i'n feichiog eto, ac ro'n i'n bryderus y byddai'r un peth yn digwydd unwaith yn rhagor. Dyma fynd am brawf arbennig – *chorionic villus sampling* – i ysbyty yn Lerpwl, a diolch i'r drefn roedd popeth yn edrych yn iawn.

Yn 9 pwys a 4 owns mi landiodd Rhys ar 18 Tachwedd 1990, ac ar ôl i ni fynd adra roedd Angharad, Elysteg ac Ynyr yn ymladd drosto – pawb isio'i fagu a'i fwytho bob munud.

Hwn oedd y cyw melyn ola.

Fi yn flwydd oed yn 1954

*Priodas Mam a Dad
yng Nghapel Ebenezer, Rhosmeirch*

Richard, fy mrawd, a fi

*Y teulu ar un o draethau
hyfryd Môn tua 1956*

Plant Ysgol Rhosmeirch efo Miss Alwena Jones tua 1958,
a finna ar y dde eithaf yn y blaen

Priodas Miss Jones a'r Parchedig R. M. Thomas.
Fi ar y dde eithaf yn y blaen ac Ann Glan 'Rafon wrth fy ochr

Parti'r Felin yn Steddfod y Bala, 1967.
Cefn, o'r chwith: Nia, Sonia, fi, Eleri (Ty'n Tywyrch), Rita, Ffion a Nerys.
Blaen: Nest (mam Elin Fflur), Sian, Eleri (chwaer Gareth Mitford)
a Sioned (mam Meinir Gwilym)

Y Parchedig Dewi Jones
a'i wraig, Myra,
yn Steddfod Llanrwst
tua 1965

Talu teyrnged wrth fedd
y ddau a fu'n gymaint
o ddylanwad arna i, ac a fu
farw mor greulon o ifanc

*Efo Eunice, chwaer Mam,
mewn priodas
yn y chwedegau*

*Canu ar lwyfan y Genedlaethol
yn Rhydaman, 1970, efo Nia
Edwards (Dolydd, gynt)*

*Tîm pêl-droed y merched, Ysgol Gyfun Llangefni. O'r chwith: Iola, Mitzi,
Gillian, Mair, Janet, Nerys, fi, Carolyn, Helen, Carys ac Eirian.
Dyma'r disgrifiad ohona i oedd uwchben y llun yng nghylchgrawn yr ysgol:
'Always manages a quick body swerve to avoid trouble under pressure, and
runs until the last minute whatever the pace'!*

Yn Steddfod Bangor yn 1971

Graddio yn 1974

*Priodi yng Nghapel Ebenezer,
Rhosmeirch, yn 1975*

*Y darlun pensil o waith Jac Jones ar
gyfer clawr fy record hir gyntaf*

LLUN: DAILY POST

Y parti cynta i mi ei hyfforddi – parti cerdd dant Adran yr Urdd
Rhosmeirch – yn dod i'r brig yn Steddfod yr Urdd Porthaethwy yn 1976

Efo Glenys a Jane Margaret ar ôl dod yn fuddugol yn y gystadleuaeth
i'r triawdau cerdd dant yn Steddfod yr Urdd, y Barri, 1977

Ar raglen deledu Rosalind a Myrddin. *(Hoff lun Eifion ohona i!)*

Huw Edward a'i chwaer, Nia, ar lwyfan yr Ŵyl Cerdd Dant yn 1981

Parti'r Ynys yn ennill Cwpan Môn ym Mhrifwyl Caerdydd yn 1978

*Fi'n trio bod yn Margaret Williams
ar raglen deledu yn 1986*

*Efo Dic Jones, mewn ffrog wedi'i
gwneud o gyrtans!*

*Ffilmio'r gân 'Ar y Teils' efo Gwyn Erfyl, R. Alun Evans, Bedwyr Lewis Jones
a Gerallt Lloyd Owen. Lot o hwyl!*

Elysteg ac Angharad tua 1981

*Fi ac Elysteg,
yn falch o gael bod
adra ar ôl ei
salwch mawr*

*Efo Gwynfor Evans adeg Etholiad
1987, ac Eifion yn ymgeisydd am y
tro cyntaf yn Ne-orllewin Clwyd ar
gyfer San Steffan*

Yr ail hatsiad! Ynyr a Rhys yn 1991

Y pedwar efo'i gilydd

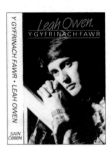

Rhoi fy llais ar gof a chadw rhwng 1973 a 2001

*Rhys (chwith) yn ennill ar ganu 'Y Gofod' ar eiriau Angharad
yn Steddfod yr Urdd 2000, ac Ynyr yn cael ei enwi yn y gân*

Priodas Clive ac Elysteg yn 2006 . . .   . . . a Dafydd ac Angharad yn 2007

*Eifion a finna efo Richard, fy mrawd, a'i wraig, Alwena,
mewn priodas*

*Ein teulu bach ni efo Mam pan ddyfarnwyd i mi fedal
Syr T. H. Parry-Williams yn y Brifwyl yng Nglyn Ebwy yn 2010*

Rhai o'r criw coleg ddaeth i Lyn Ebwy i ddathlu efo fi pan ges i'r fedal. O'r chwith: Eirian, Elin, Ann, fi, Carys a Helen

Ann Hopcyn, yr hen fêt, a finna o flaen stafell Gerdd Prifysgol Bangor unwaith eto!

Dwi wedi bod yn dysgu Steffan ac Angharad ers blynyddoedd ac yn dal i fwynhau

Parti Dyffryn Clwyd
– genod grêt!

Grŵp Enfys.
O'r chwith: Ceri, Ruth, Amber, Angharad, Bethany, Celyn, Mared a Leah

Dafydd, Gwenno, Gruffudd ac Angharad

Elysteg, Llŷr a Clive

Prion

Symud i'r wlad

Yng Ngorffennaf 1992 y symudon ni i fyw yma ym Mhrion – pentre bach ryw dair milltir o Ddinbych, yn edrych i lawr ar y dyffryn. Does yma na siop na thafarn, dim ond capel, ysgol a golygfeydd godidog. Roedd gair da am ei waith graenus a thrylwyr i'r adeiladwr lleol Robert William Davies (neu Bob, fel roedd pawb yn ei alw), felly aethom amdani a dechreuwyd ar y gwaith. Eifion gynlluniodd siâp y tŷ, ac roeddan ni'n edrych ymlaen at symud i dawelwch y wlad.

Ond pan oedd y tŷ ar ganol cael ei adeiladu, daeth y newyddion bod stiwdio deledu HTV yn yr Wyddgrug yn mynd i gau am ei fod yn gyfnod anodd iawn yn ariannol i'r cwmni. Roedd hon yn ergyd fawr i ni, ac roeddan ni'n bryderus a fyddai Eifion yn llwyddo i gael gwaith arall yn lleol, ynteu a fyddai'n rhaid diodde symud i Gaerdydd!

Bu'n gweithio fel cynhyrchydd annibynnol am gyfnod, nes gweld hysbyseb am swydd yn y Coleg Normal ym Mangor fel darlithydd y Cyfryngau. Aeth amdani, a bu'n ffodus o'i chael. Oni bai ein bod wedi dechrau adeiladu ym Mhrion, mae'n debyg y byddem wedi symud i Wynedd. Ar waetha'r teithio yn ôl a blaen i Fangor, roedd Eifion wrth ei fodd yn gweithio gyda'r myfyrwyr, ac ymhen chwe mis daeth yn bennaeth yr Adran Gyfathrebu yno.

Roedd ein cartre newydd yn barod inni symud iddo, ac

roedd hi'n braf cael bod yng nghefn gwlad unwaith eto. Roedd Bob, o'i ben a'i bastwn ei hun, wedi cerfio darn o lechen ar siâp telyn ar dalcen y tŷ, sy'n edrych yn drawiadol iawn. Mae carreg yr aelwyd wedi dod o hen gartre'r emynydd Edward Jones, Maes y Plwm (awdur 'Cyfamod hedd, cyfamod cadarn Duw') – tŷ sydd bellach yn adfail ar gyrion y pentre.

Joban ofnadwy

Ro'n i wedi bod yn gwneud peth gwaith fel athrawes gyflenwi yma ac acw cyn geni'r hogia, ac wedi bod yn dysgu'n wythnosol yn ysgol fach Clocaenog. Ond, a Rhys bellach bron yn ddyflwydd, sylwais ar hysbyseb swydd Athrawes Gerdd ran-amser yn Ysgol Uwchradd Dinbych. Do'n i erioed wedi dysgu mewn ysgol uwchradd o'r blaen, nac wedi dysgu'n gyfan gwbl trwy gyfrwng y Saesneg, ond do'n i ddim gwaeth na thrio.

Wnes i rioed ddychmygu y byddwn i'n cael y swydd, ond dyna ddigwyddodd. Daeth ton o banic drosta i wedi i'r prifathro fy ngalw'n ôl i'w swyddfa i ofyn a hoffwn i dderbyn y swydd. 'Yes, of course – thank you,' meddwn yn grynedig. Tasa gen i fotwm *rewind* yn fy mhoced, mi faswn yn dweud, 'No thank you, keep your [blîp] job,' achos dyna'r flwyddyn waetha i mi ei chael mewn unrhyw swydd.

I ddechrau, roedd raid chwilio am rywun i ofalu am Rhys tra byddwn i wrth fy ngwaith. Ar fy ffordd i weld meithrinfa yr o'n i pan welais ffrind oedd â thri o hogia ychydig hŷn na Rhys. Pan ddwedais wrthi ble ro'n i'n mynd, mi ddwedodd yn syth: 'Wna *i* edrych ar ei ôl o, os leci di.' Mi fyddai hynny'n wych – yn un peth, mi fyddai gan Rhys hogia bach yn gwmni i chwarae efo fo. Diolchais iddi, ac ar ôl trafod telerau dyma dderbyn ei chynnig.

Ches i ddim arweiniad o fath yn y byd gan bennaeth yr Adran Gerdd, a doedd dim cynllun gwaith ar gyfyl y lle. Yn wir, ro'n i'n dechrau ym mis Medi a doedd gen i ddim syniad beth o'n i i fod i'w ddysgu i'r plant. Yn fy nyddiadur ar 3 Medi 1992 dwi wedi sgwennu: 'Cychwyn dysgu yn Ysgol Uwchradd Dinbych – SHAMBLS LLWYR!' Dwi'n credu hefyd i mi gael y dosbarthiadau gwaetha ac, yn amlach na pheidio, ro'n i'n gorfod rhoi gwersi yn y ffreutur i gyfeiliant sŵn platiau a chlebran merched y gegin, heb na phiano nac unrhyw offeryn ar gyfyl y lle. Roedd gen i drueni dros ambell blentyn oedd yn wirioneddol isio dysgu, ond roedd ymddygiad gweddill y dosbarth yn amharu ar bron bob gwers. Dwi'n cofio cerdded i'r ystafell Gerdd un bore ac agor caead y piano a darganfod condom ar yr allweddell. Roedd 'na bwffian chwerthin yn dod o gefn y dosbarth, ond wnes i fawr o ffws achos byddai hynny wedi gwneud pethau'n waeth.

Dyma ddechrau côr yno, ond doedd fawr o gefnogaeth i f'ymdrech heblaw gan aelod o'r Adran Gymraeg, Nerys Ann Roberts. Bob nos, mi fyddwn yn crio fel plentyn bach achos mod i ddim am fynd i'r ysgol y diwrnod canlynol. Ar ben popeth, doedd Rhys ddim yn hapus chwaith, a phan fyddwn yn ei roi yng nghefn car y warchodwraig, yn amlach na pheidio byddai un o'i hogia'n rhoi cythral o swadan iddo fo ar draws ei ben. Hwnnw wedyn yn ymladd yn erbyn y dagrau, efo ceg gam, a finna'n gorfod ei adael felly.

O uffern i'r nefoedd

Wedi blwyddyn anhapus iawn yn Ysgol Uwchradd Dinbych, ces gynnig swydd ran-amser yn Ysgol Twm o'r Nant, sef ysgol gynradd Gymraeg y dre. Roedd y prifathro, Elis Jones, am i mi roi hwb i griw o blant yng Nghyfnod Allweddol 1 i loywi eu Cymraeg, gan eu bod nhw'n dod o gartrefi Saesneg eu hiaith. Yr adeg honno roedd y rhan fwya o'r plant yn dod o gartrefi Cymraeg ond mae pethau wedi newid erbyn hyn. Ro'n i wrth 'y modd, a derbyniais y cynnig yn llawen. Ro'n i wedi bod yn cynorthwyo yn yr ysgol o bryd i'w gilydd dros nifer o flynyddoedd – gyda'u cyngherddau Nadolig ac yn hyfforddi partïon at steddfodau – pan oedd Miss Kate Davies yn brifathrawes yno.

Roedd gweithio efo'r plant bach yma fel symud o uffern i'r nefoedd. Ro'n i mor hapus, a'r staff i gyd mor gyfeillgar. Doedd dim ots gen i hyd yn oed fod arolwg ar y gorwel! Roedd hi'n bleser cael codi yn y bore i fynd i swydd oedd yn rhoi cymaint o foddhad i mi, a gweld y plant yn datblygu mor dda gyda'r iaith.

Erbyn hyn roedd Rhys yn hapusach hefyd gan ei fod yn mynd i feithrinfa Twm o'r Nant bob bore ac yn cael ei warchod gan Anti Mair bob pnawn. Roedd o a Sioned, merch Mair, yn dipyn o fêts ac maen nhw'n dal i fod felly hyd heddiw, bron fel brawd a chwaer.

Bu cryn ddadlau a thrafod adra acw i ba ysgol y dylsen ni yrru'r hogia. Roedd y genod wedi bod yn Ysgol Twm o'r Nant o'r dechrau, wrth gwrs, ac wedi cael addysg a chyfleon gwych yno. Ond, a ninna'n byw ym Mhrion, oni ddylsen ni yrru'r hogia i Ysgol Prion? Roedd Eifion yn credu'n gry mai dyna ddylai ddigwydd, ond gan mod i'n gweithio yn y dre, ro'n i'n teimlo y byddai'n haws i'r hogia fod yn Twm o'r Nant efo fi. Dwi'n dal i deimlo'n euog mod i heb gefnogi ysgol y pentre, ac mae hi'n ysgol wych, ond ar y pryd dyna oedd yn gwneud synnwyr o ran cyfleustra.

Addewais i mi fy hun na fyddwn yn hudo'r hogia ar yr un llwybr eisteddfodol â'r genod. Ro'n i am iddyn nhw gicio pêl a dringo coed a gwneud y petha ryff ma hogia'n ei wneud. A do, mi wnaethon nhw hynny i gyd – ond wir i chi, roedd gan y ddau leisiau fel eosiaid bach, a fedrwn i ddim peidio mynd â nhw i gystadlu. Ia, ia, wn i! Fel y genod, mi fu'r ddau'n llwyddiannus – am ganu yn benna, ac yn enwedig am ganu cerdd dant.

Ond unwaith yr aethon nhw i'r ysgol uwchradd, chanodd yr un o'r ddau gerdd dant byth wedyn – y tacla bach!

Ysgol Twm o'r Nant a Chicago

Prifathro gwych a gwallgo!

Mae Ysgol Twm o'r Nant wedi chwarae rhan bwysig yn fy mywyd dros y blynyddoedd, ac ar ôl cyfnod hapus iawn yn gweithio yno'n rhan amser, daeth cyfle am swydd barhaol i ddysgu Blwyddyn Tri, sef plant saith ac wyth oed.

Roedd y dosbarthiadau'n niferus gyda hyd at 38 o blant ynddyn nhw o dro i dro. Dwi'n cofio un flwyddyn pan oedd gen i bum pâr o efeilliaid yn yr un dosbarth! Doedd dim problem disgyblaeth; roedd y plant a finna wrth ein boddau yng nghwmni'n gilydd, a phob diwrnod yn brysur o'r eiliad y rhown fy nhroed heibio giât yr ysgol yn y bore. Mi fyddai gen i ymarfer canu ar gyfer rhyw gyngerdd neu steddfod neu'i gilydd bob amser cinio, a phawb ohonom ar y staff yn gwerthfawrogi cyfraniadau'n gilydd.

Fedra i ddim sôn am yr ysgol heb grybwyll y prifathro, Elis Jones. Rŵan, mae Elis yn gyfarwydd i lawer dros Gymru, dybia i, fel tynnwr coes heb ei debyg, ac fel un sy'n gwirioni ar bêl-droed. Mae o wedi datgan sawl gwaith pa mor falch ydi o fod pump o gyn-ddisgyblion yr ysgol wedi cael capiau dros eu gwlad mewn timau o dan 16 oed.

Yn aml, os byddwn i'n gweithio'n hwyr yn fy nosbarth, mi fyddai'n dod i mewn a dweud: 'Sgin ti'm cartra i fynd iddo fo, d'wad? Hel dy bac a dos adra.' Roedd lles ei staff yn bwysig iawn iddo fo, ac roedd hi'n braf gallu mynd ato am sgwrs os oedd unrhyw broblem yn codi.

Ond un direidus ar y naw oedd, ac ydi, Elis. Dwi'n cofio, un tro, iddo fy nghloi yn ei swyddfa, a finna'n erfyn arno i agor y drws er mwyn i mi gael mynd i ddysgu'r plant. Ond na – yno y bues i am awr, tra oedd o wedi mynd at fy nosbarth i'w dysgu. Dro arall mi ddaeth i mewn i fy nosbarth efo gŵr a gwraig, a dweud wrtha i eu bod nhw wedi bod yn byw yn Affrica ers ugain mlynedd, ac wedi mabwysiadu plentyn yno. Roedden nhw newydd symud yn ôl i Gymru ac yn awyddus i'w plentyn ddod i nosbarth i. Finna'n egluro'n frysiog i'r dosbarth – o flaen yr ymwelwyr – am Affrica, tra oedd Elis yn mwydro siarad efo nhw. Ddwedodd y cwpwl 'run gair, dim ond gwenu trwy'r adeg. Erbyn deall, o Ben Llŷn roedd y ddau'n dod ac yn Gymry glân gloyw; fuon nhw rioed ar gyfyl Affrica!

Dro arall, gyrrodd Elis neges at Ann Hopcyn yn dweud mod i wedi cael swydd bwysig ym myd addysg yn y sir, ac Ann yn llyncu'r stori. Finna'n cael cerdyn ganddi ymhen deuddydd yn fy llongyfarch. Mae o'n un drwg hefyd am ffonio pobol gan smalio mai rhywun arall ydi o. Dwi'n cofio'r noson cyn i ni fel teulu fynd ar wyliau tramor, a ffôn yn dod o faes awyr Manceinion yn dweud fod y daith wedi'i chanslo. Diolch byth mod i'n nabod ei lais o. Wrth reswm, mi ffoniodd fi lawer gwaith yn smalio mai rhywun o gwmni teledu oedd o, isio i mi ganu ar ryw raglen neu'i gilydd.

Wna i byth anghofio'r adeg pan oeddan ni ar ganol arolwg yn yr ysgol, a finna'n rhoi gwers Gerdd i'r plant yn y neuadd tra oedd un o'r arolygwyr yn eistedd yn y blaen efo'r plant. Roedd llyfrgell yr ysgol yr adeg honno'n ymestyniad o'r neuadd; yn eistedd yno (heb yn wybod i Elis) roedd arolygwr arall – yntau'n fy ngwylio'n dysgu. Daeth Elis i mewn i'r neuadd o'r cefn gan wneud pob math o stumiau gwirion – smalio crogi'i hun, dawnsio'n wallgo, ac ati – yn ddigon hapus na fyddai'r arolygwraig yn ei weld. Roedd y llall, wrth gwrs, yn gwylio'r cyfan, a fedrwn i ddweud na gwneud dim. Dim ond gwenu wnaeth yr arolygwr bach yn y llyfrgell, diolch byth.

Roedd 'na hefyd ofalwyr arbennig iawn yn Ysgol Twm o'r Nant. Robert Griffiths oedd wrthi pan es i yno gynta, yn wên i gyd bob amser ac yn barod iawn ei gymwynas. Yna mi ddaeth Gwyn Williams, neu Gwyn Hafod Elwy i ni yma'n lleol. Mae Gwyn yn berson amryddawn dros ben – yn gallu cerfio ar lechi, barddoni, canu ac iodlo – ac mi fyddai'r plant wrth eu boddau pan fyddai'n dechrau iodlo yn y bore wrth eu cyfarch. Roedd o hefyd yn hoff o gystadlu mewn steddfodau, ac yn aml mi fyddai'n ymarfer ambell unawd cerdd dant efo fi ar ôl i'r plant fynd adra. Roedd hynny'n llawer nes at ei galon na llnau a chlirio llanast y dydd. Roedd o wastad yn sôn am yr achlysur hwnnw adeg cinio Nadolig y staff mewn tŷ bwyta Tsieineaidd yn y Rhyl, pan ganodd o efo Elis Jones a Rhys Meirion, oedd wedi bod ar un adeg yn athro yn yr ysgol. Yn haeddiannol, cafodd Gwyn ei dderbyn i'r Orsedd yng Nghasnewydd yn 2004.

Dros y blynyddoedd bu'r ysgol yn llwyddiannus mewn sawl steddfod, ond yr hyn sy'n aros yn fy ngho' i fwya yw i Angharad a minnau sgwennu sioe o'r enw *Owain Glyndŵr* yn 2004 i ddathlu chwe chanmlwyddiant sefydlu Senedd Owain Glyndŵr. Roedd hwnnw'n gyfnod eithriadol o brysur: roedd 16 o eitemau o'r ysgol wedi llwyddo i fynd ymlaen i Steddfod Genedlaethol yr Urdd, a thipyn o waith a phenbleth oedd trio cyfuno'r ymarferion ar gyfer yr Urdd efo dechrau ymarfer at y sioe. Roedd Gwyneth Roberts, dirprwy'r ysgol, ar fin ymddeol, ac ro'n i am wneud y gorau o'i doniau trefnu hitha. Roedd pawb ar y staff yn barod i gynorthwyo, boed i greu'r set a'i pheintio, casglu props neu wnïo dillad i 125 o blant.

Perfformiwyd y sioe yn Neuadd y Dref, Dinbych, a chafodd dderbyniad gwych. Roedd pob plentyn yn yr Adran Iau yn cymryd rhan, ac mae'n braf clywed gan ambell gyn-ddisgybl eu bod nhw'n cofio hyd heddiw am yr achlysur, ac yn dweud cymaint o fwynhad gafon nhw wrth fod yn rhan o'r sioe. Does dim yn fwy gwerthfawr i blant, yn fy marn i, na dysgu trwy fwynhau.

Roedd blwyddyn ysgol yn llawn a phrysur, ond roedd y prysurdeb hwnnw'n rhoi boddhad di-ben-draw i mi. Roedd hi'n her cychwyn bob mis Medi efo dosbarth newydd o blant: gweld eu hanghenion, a darganfod sut i'w helpu a'u symud ymlaen i'r cam nesa. Byddai rhai'n brasgamu, wrth gwrs, ac eraill yn cymryd camau bach, ond cyn belled â bod y camau bach yna'n symud am ymlaen, dyna oedd yn bwysig.

Mi fyddwn wrth 'y modd adeg y Nadolig yn sgwennu sgriptiau a chyfansoddi carolau newydd i bob dosbarth, creu Llyfr Nadolig efo'r plant, ac addurno waliau'r dosbarth. Doedd pob pwnc ddim at fy nant i, yn naturiol, ac fe drefnwyd ein bod ni'n cyfnewid dosbarthiadau er mwyn i mi ddysgu Cerdd i bob dosbarth, tra oedd yr athrawon eraill yn dysgu'r pynciau nad o'n i'n or-hoff ohonyn nhw, fel Gwyddoniaeth, Daearyddiaeth a Chelf – ac mi weithiodd hynny'n wych i bawb.

Yr hyn sylwais i arno dros y pymtheg mlynedd y bues i'n athrawes yn Ysgol Twm o'r Nant oedd fod mwy a mwy o blant yn dod o deuluoedd di-Gymraeg. Roedd hi'n wych gweld a deall bod y rhieni yma am roi addysg Gymraeg i'w plant, ond ar yr un pryd roedd hyn yn amharu ar ddatblygiad y Cymry bach o deuluoedd cyfan gwbl Gymraeg. Roedd mwy a mwy o Saesneg i'w glywed ar y buarth ac roedd angen symleiddio iaith y dosbarth ar gyfer rhai. Dwi'n deall y syniad o roi plant di-Gymraeg yng nghanol Cymry naturiol ond, yn aml iawn, y Cymry sy'n troi i siarad Saesneg. Go brin mai bwriad rhieni Cymraeg eu hiaith wrth yrru eu plant i ysgol Gymraeg oedd bod yn rhan o arbrawf i hybu ystadegau rhyw gyfundrefn neu'i gilydd.

Ro'n i'n ffafrio'r syniad o roi'r dysgwyr mewn dosbarth efo'i gilydd ar y dechrau er mwyn dysgu patrymau iaith cywir iddyn nhw gam wrth gam. Yna, pan fydden nhw'n barod ac yn ddigon hyderus, eu trosglwyddo i'r dosbarthiadau naturiol Gymraeg. Byddai hyn yn llesol i bawb, yn fy marn i – y Cymry Cymraeg cynhenid, y dysgwyr a'r athrawon.

Teithio i America

Ers i mi ddechrau cystadlu'n ddeuddeg oed, dim ond un Steddfod Genedlaethol dwi wedi'i cholli, a honno oedd Eisteddfod De Powys, Llanelwedd, yn 1993. Y rheswm am hynny oedd mod i wedi cael gwahoddiad i fynd i America i ganu fel unawdydd efo Côr y Penrhyn. Rhoddodd y côr yma sawl cyfle i mi dros y blynyddoedd i deithio efo nhw i wahanol wledydd, ac rydw inna wedi gwerthfawrogi hynny'n fawr. Roedd hwn, felly, yn gynnig na fedrwn mo'i wrthod, er ei fod yn golygu gadael Eifion a'r plant am bythefnos yn ogystal â methu mynd i Lanelwedd.

Mae'n debyg fod côr o ardal Bethesda wedi teithio

i America i'r Chicago World Fair gan mlynedd ynghynt, ac felly dathliad o hynny fyddai'r daith hon. Arweinydd y côr ar y pryd oedd Alun Llwyd, gyda Menna Leyshon a Menai Williams yn cyfeilio, a John Ogwen yn cyflwyno'r cyngherddau.

Roedd yn daith hir i Boston a finna ddim yn or-hoff o hedfan, ond roedd stop o chwe awr yno cyn symud ymlaen i Chicago. Wedi cyrraedd fanno, sylweddolwyd ein bod wedi gadael un aelod o'r côr ar ôl yn Boston! Roedd gwragedd rhai o'r hogia wedi dod ar y daith hefyd, a chlywais un o'r hogia'n dweud y bore cynta wrth ei wraig: 'Wnes i llnau 'nannadd gynna; ew, ti 'di cael rhyw bast dannadd a blas od arno fo.' 'O na!' medda hitha, 'ti rioed 'di defnyddio fy eli cricmala i?' Dyna'n union roedd o wedi'i wneud!

Mi deithion ni i Poultney a chael croeso anfarwol yno. Ro'n i a phedwar arall yn aros mewn mansion o dŷ o'r enw Priscilla's Victorian Inn, oedd yn llawn o hen greiriau – roedd yn union fel camu'n ôl ganrif. Cawsom gyfle i weld yr ardal, yn arbennig y chwareli llechi a'r mynwentydd lle roedd nifer o Gymry o ardal Bethesda wedi'u claddu. Y noson honno roeddan ni'n canu yn y Green Mountain College, a hitha'n chwilboeth. Menai Williams oedd yn cyfeilio i mi ar delyn oedd wedi cael ei llogi'n arbennig ar ei chyfer. Roedd yr Americanwyr yn dotio at yr arlwy Gymreig ac roedd mynd da ar y CDs.

Symud ymlaen drannoeth i Connecticut – saith awr o daith – a choeliwch neu beidio, gadael dau aelod o'r côr ar ôl eto yn Poultney! Y tro yma roedden ni'n aros yn neuadd breswyl y brifysgol – hen le blêr a digon budur. Mi gynhalion ni gyngerdd y noson honno yn Willimantic cyn symud ymlaen y bore wedyn i Rye, tre tua tri deg milltir o Efrog

Newydd. Yn Rye, roeddan ni'n cael lletya efo teuluoedd. Mi ges i gwmni Menai a Walt, ei gŵr, yng nghartre Mr a Mrs Gumbee. Roedd hi'n wraig reit glên ond tipyn o drwyn oedd y gŵr. Doedd ganddo fo fawr o sgwrs ac roedd hi'n amlwg nad oedd o isio i ni fod yno o gwbl. Wedi brecwast go dila y bore wedyn, dyma'i chychwyn hi am Efrog Newydd.

Mi fuon ni'n gweld y llefydd arferol mae twristiaid yn heidio iddyn nhw, ac o ben adeilad yr Empire State Building dyma benderfynu ffonio adra. Pan glywais i lais Eifion mi ddaeth 'na ryw don anferth o hiraeth drosta i, a fedrwn i sgwrsio dim efo fo – dim ond beichio crio a finna efo cymaint i'w ddweud. Roedd o'n swnio mor agos, a finna mor bell.

Y noson honno roeddan ni'n canu mewn eglwys. Ar ôl y cyngerdd mi heidiodd criw ohonon ni, ar wahoddiad, i gartre cwpwl oedd yn dod o'r Alban yn wreiddiol. Wel, sôn am balas o dŷ! Pan es i'r tŷ bach ac eistedd ar yr orsedd, dyma sŵn bagpeips yn dechra canu dros bob man. Mi fuo bron i mi gael hartan. Canu ar yr aelwyd wedyn tan oriau mân y bore, gan fwynhau croeso'r Albanwyr.

Taith trên oedd nesa a honno'n daith hir o ddeunaw awr dros nos i Chicago, ond pan mae rhywun yng nghwmni cymeriadau hwyliog a difyr, buan iawn mae amser yn hedfan. Roeddan ni'n aros yng ngwesty crand y Blackstone yng nghanol Chicago, lle roeddan nhw'n ffilmio *The Untouchables* ar y pryd. Y noson honno, aeth criw ohonon ni am bryd o fwyd i'r John Hancock Restaurant ar lawr 85 yr adeilad uchel 'ma. Roedd John Ogwen yn ei hwyliau ac yn mynnu talu am win i bawb – efo pres *Minafon*, medda fo! Roedd 'na olygfa fythgofiadwy o ben yr adeilad, a Chicago fawr wedi'i goleuo fel tasa 'na filoedd o goed Dolig yno.

Wrth gamu i mewn i'r lifft ar ddiwedd y noson, bachodd

John dusw o flodau oedd yn addurno'r cyntedd a'u cario i lawr efo fo. Pan gyrhaeddodd y lifft y gwaelod, roedd merch ifanc hardd yno'n disgwyl i ddrysau'r lifft agor, a John Ogwen (fel tasa'r cyfan wedi'i sgriptio a'i gynllunio mewn drama) yn cyflwyno'r blodau iddi gan ddweud: 'Ddîs ar ffôr iw, mai lyfli' yn ei acen chwaral Pesda ora! Sôn am chwerthin, a'r ferch ifanc ddim yn siŵr sut i ymateb.

Mae'n debyg mai uchafbwynt y daith oedd cael canu yng Nghyngerdd Coffa Dame Myra Hess, a oedd yn cael ei recordio'n fyw ar gyfer y radio yn America. Bu un cyngerdd arall wedyn mewn eglwys hardd yn Chicago, ond erbyn hyn ro'n i'n barod i fynd adra, ac yn ysu am weld Eifion a'r plant.

Ambell gyfrol a cherdd

Mae Gen i Gân

Ers inni fod yn byw yn y Felinheli, roeddan ni wedi dod yn ffrindia mawr efo Selwyn Griffith. Nid yn unig roedd o'n fardd crefftus, yn brifathro, yn feirniad llên a llefaru poblogaidd ac, yn ddiweddarach, yn Archdderwydd poblogaidd, roedd o hefyd yn ŵr arbennig o ffraeth ac yn gwmnïwr diddan.

Roedd y genod acw wedi dysgu sawl un o'i ddarnau llefaru dros y blynyddoedd ac yn mwynhau pob un ohonyn nhw. Mi fyddwn inna wastad yn mynd ar ei ofyn am eiriau i gyd-fynd â rhyw thema neu'i gilydd oedd gen i yn yr ysgol, ac yn amlach na pheidio mi fyddai 'na gerdd fach yn landio yn y post y diwrnod wedyn. Roedd o'n gallu mynd i fyd plentyn ac yn gwybod yn union pa fath o gerddi fyddai'n eu plesio.

Dyma englyn a luniodd Eifion iddo ar ei ben-blwydd yn 80:

> Ni welodd Llanddeiniolen – un hogyn
> pedwar ugain amgen;
> i blant, di-daw ei awen:
> yn hen ŵr, heb fynd yn hen.

Mi sylweddolais fod gen i swp o alawon wedi'u cyfansoddi i benillion gan Sel, a dyma fynd ati i holi fyddai gan rywun ddiddordeb yn eu cyhoeddi. Roedd Cyhoeddiadau Curiad o Ben-y-groes yn hapus iawn i wneud hynny, a'r canlyniad oedd lansio'r llyfr *Mae Gen i Gân* yn Eisteddfod Genedlaethol Bro Colwyn yn 1995. Prifwyl yr hetiau haul a'r coesau noeth oedd honno, os cofiwch chi. Roedd gen i barti bach o Ysgol Twm o'r Nant yn canu rhai o'r caneuon yn y Babell Lên er mwyn hyrwyddo'r llyfr.

Dwi'n hynod falch o *Mae Gen i Gân*, sy'n cynnwys ugain o ganeuon, ac yn falch hefyd ei fod yn dal i gael ei ddefnyddio mewn ysgolion a steddfodau.

Y Stori Fawr

Tua blwyddyn yn ddiweddarach, es i ac Angharad ati i lunio sioe Nadolig ar gyfer ei chyhoeddi. Ro'n i'n teimlo bod 'na fwlch yn y farchnad, a bod sawl athro'n crafu pen adeg y Nadolig yn meddwl beth i'w berfformio.

Adrodd hanes y Geni mewn ffordd gyfoes mae *Y Stori Fawr*, ac mae Angharad wedi creu sgript fywiog a doniol. Ann Jones Evans o Landyrnog, Dinbych, a Selwyn Griffith oedd yn gyfrifol am eiriau'r caneuon, ac ro'n i'n falch eto fod Cyhoeddiadau Curiad wedi dod â'r llyfr i olau dydd.

Yn anffodus, dwi ddim wedi cael amser yn ddiweddar i fynd ati i gyfansoddi, ond yn sicr mae o ar y rhestr o bethau dwi isio'u gwneud yn y dyfodol.

Carafanio

Mi synnwch, mae'n siŵr, o ddeall nad ydw i'n or-hoff o fynd i ffwrdd ar wyliau. Bob tro y bydd Eifion yn codi'r pwnc, dwi'n mynd yn flin ac yn ddifynadd. Mae pawb normal yn hoffi codi'i bac a mynd, ond dydw i ddim. Dwi ddim yn meindio rhyw noson neu ddwy mewn gwesty yma yng Nghymru, ond pan mae angen pacio llond cês i fynd i ben draw'r byd ddim ond i'w gwagio wedyn cyn pen dim, heb sôn am drio dygymod efo dieithrwch fy nghartre newydd, dwi'n ei chael hi'n anodd deall pam gwnes i drafferthu mynd yno o gwbl.

Dwi'n meddwl mai un rheswm am hyn ydi mod i mor brysur trwy'r adeg, a phan mae hi'n dod yn adeg gwyliau, yr unig beth dwi isio'i wneud ydi bod adra'n gwneud y petha bach di-lol fel mynd am dro, neu eistedd yn yr ardd i ddarllen llyfr. Dwi'n gwerthfawrogi fy nghartre cymaint – tawelwch a harddwch y wlad o nghwmpas – fel nad ydw i'n awchu am fynd i ffwrdd o gwbl.

Rheswm arall mod i ddim yn hoffi gwyliau tramor ydi'r ffaith mod i ofn hedfan. Mae'n stumog i'n troi rŵan hyn wrth feddwl am y peth. Bob tro dwi'n camu i mewn i awyren, dwi'n grediniol ei bod am grasho neu ffrwydro yn yr awyr. Mi fydda i'n poeni am wythnosau cyn y daith, ac wedyn yn poeni yn ystod y gwyliau am hedfan yn ôl adra.

Pan oedd y plant yn fach roeddan ni'n arfer mynd ar wyliau i garafán statig yn Llydaw neu Ffrainc, cyn i ni brynu ein carafán ein hunain. Wel, dyna i chi be oedd hunlle! Mi fyddai Eifion a finna wedi ffraeo cyn cyrraedd y giât lôn, achos roedd hi'n gontract trio cael y blwming peth allan o'r cowt gan fod y fynedfa ar ryw sgi-wiff i'r lôn. Doedd pacio i chwech ddim yn llawer o hwyl, chwaith, a chan fod deuddeng mlynedd rhwng yr hyna a'r fenga roedd hi'n goblyn o job trio plesio pawb o ran creu difyrrwch yn y car, ac wedyn ar ôl cyrraedd y maes carafannau.

Dydi Eifion ddim yn ddyn coginio barbeciw o gwbl – wel, dydi o ddim yn ddyn i goginio dim, a dweud y gwir – felly fi fyddai'n paratoi'r bwyd i gyd, ac yn mynd â'r llestri budron i'w golchi wedyn i ryw gwt ym mhen draw'r parc carafannau. Roedd popeth yn cymryd cymaint o amser, a finna'n hoffi fy moethusrwydd, mae'n debyg.

Dwi'n ein cofio ni'n mynd ar goll un flwyddyn wrth drio dod o hyd i faes carafannau yn Tregon yn Llydaw. Roedd hi tuag un o'r gloch y bore a ninna'n llusgo ar hyd rhyw ffordd gul yn tynnu'r hen garafán. Dwi rioed wedi bod yn un dda am ddarllen map, a rywsut mi landion ni yng ngardd gefn rhyw gwpwl oedrannus, a'r rheiny'n dod allan yn eu dillad nos yn methu deall beth oedd yn digwydd. Mi geisiodd Eifion egluro ac ymddiheuro yn ei Ffrangeg bratiog ein bod ni ar goll, a dyma drio meddwl sut oeddan ni am fynd o'no. Doedd dim posib symud ymlaen, felly roedd raid troi mewn lle cyfyng iawn, a'r hen ŵr yn gweiddi â'i ddwylo yn yr awyr bob hyn a hyn ein bod ni'n mynd ar draws ei lysiau a'i flodau o. Doedd o ddim yn rhy hapus!

Diolch am gwmni John Glyn a Helen a Dafydd Parri a Delyth a'u plant ar y gwyliau hyn. Mi gawson ni lawer o hwyl yn eu cwmni nhw. Dwi'n ein cofio ni'n mynd yn gonfoi i Lydaw un flwyddyn, a theulu John Glyn ar y blaen, pan benderfynodd Glyn ei fod o a'i garafán am basio lori wrth ddringo pont fwa anferth Saint-Nazaire. Mi nogiodd yr hen Maestro bach ac mi dorrodd y bocs gêrs yn y fan a'r lle. Wnâi o ddim symud, a chiw mawr yn ffurfio'r tu ôl i ni. Wnaeth Glyn ddim cynhyrfu rhyw lawer, 'mond gadael i Helen sortio'r broblem. Dynion!

Fel hyn y gwelodd Eifion betha, gryn amser ar ôl hynny:

> Wrth yrru 'ma heno ro'n i'n dwyn i go'
> Drybini John Glyn yn ei gerbyd un tro
> Rhwng Llydaw a Ffrainc, a'r hen Faestro blêr
> Yn stryglo'n ddiawledig ar bont Sana-sêr.

'Sa pawb call 'di dallt bod y Maestro'n rhy wan
I ddringo'r fath fwa 'fo'r hen garafán;
'Dio'n rhyfadd yn byd iddo falu pob gêr
A nogio fel malwan ar bont Sana-sêr.

Ond ella 'sa'r cerbyd 'di dringo'r allt fawr
Tasa Glyn heb roi'r sbardun a'i esgid trwy'r llawr
Er mwyn pasio lori – ond doedd hi'm yn ffêr
Trio rasio mewn Maestro dros bont Sana-sêr.

'Rôl smocio fel stemar ym mar y Relwê,
Fe ddaw'r alwad ola i Dafarn y Ne;
A'r tân ar ei ffagan i'w weld rhwng y sêr
Yn wincio wrth basio uwch pont Sana-sêr.

Mi fydden ni'n mynd i'r Steddfod Genedlaethol yn y
garafán hefyd (hynny ydi, y plant a fi – mi fyddai Eifion yn
cael aros mewn gwesty crand gyda chriw HTV). Ro'n i'n
casáu'r profiad, yn enwedig un flwyddyn pan oedd y ddau
fach yn sâl ac yn pesychu trwy'r nos. Dro arall, pan o'n i'n
disgwyl Rhys, mi syrthiais drwy'r gwely ganol nos a deffro
pawb. A dwi'n cofio pan oedd y Steddfod yn Nhŷddewi i
storm o wynt a glaw godi'r adlen, a ninna'n fanno yn oria
mân y bore'n trio dal y polion yn y glaw. Na, tydi carafanio
ddim i mi, diolch yn fawr.

Dwi'n trio awgrymu bob blwyddyn y byddai'n well gen i
fynd ar wyliau i Ben Llŷn o beth diân, ond tydi o ddim wedi
gweithio eto. Mae'r garafán wedi hen fynd, diolch i'r drefn,
ond rydan ni'n dal i fynd dramor ar wyliau bob blwyddyn ar
waetha fy nghwyno, ond nid i aros mewn carafán, dwi'n
prysuro i ddweud.

Y Crown

Fis Mai 1997 mi ges fynd i Lŷn o'r diwedd, ond ymweliad digon bethma oedd o. Roedd Eifion a finna wedi cael gwahoddiad i briodas Tim a Siân Eirian, un o nisgyblion cynnar, ac yn edrych ymlaen yn arw at yr achlysur. Yn Llangybi, Eifionydd, roedd cartre Siân, felly dyma drefnu i aros yn y Crown ym Mhwllheli'r noson cynt.

Y noson honno roedd sioe gerdd *Carreg yr Imbill* yn cael ei pherfformio yn Neuadd y Dref ym Mhwllheli, ac felly, ar ôl gollwng ein cesys yn y gwesty, dyma fynd i weld y sioe. Un dda oedd hi hefyd, efo'r gerddoriaeth gan Annette Bryn Parri. Gan ein bod ni'n nabod llawer o'r criw oedd yn cymryd rhan yn y sioe, mi gawsom wadd i fynd efo nhw i'r Black Lion am sgwrs a llymaid bach ar ôl y perfformiad. Aeth y sgwrsio a'r yfed ymlaen am oriau ac roedd hi tua un o'r gloch y bore arnon ni'n cyrraedd y gwesty. Ond och a gwae! roedd drysau'r Crown ar glo, ac er inni guro a churo ddaeth neb i agor i ni. Doedd dim amdani, felly, ond cysgu yn y car oedd wedi'i barcio yn y cefn. Chawson ni fawr o gwsg, dim ond troi a throsi'n gwrando ar gathod yn mewian trwy'r nos.

Erbyn i'r wawr dorri roedd yr olygfa o'n cwmpas yn debyg iawn i ran o ffilm Hitchcock, *The Birds*, efo brain dros y car i gyd a gwylanod môr yn tyrchu yn y biniau sbwriel yng nghefn y dafarn. Doedd pobol y lle ddim yn rhai am godi'n gynnar, chwaith, achos roedd hi bron yn naw arnon ni'n cael mynd i mewn i'n llety, a hynny ddim ond i molchi a chael tamaid sydyn o frecwast. Roedd golwg flinedig iawn ar y ddau ohonon ni yn y briodas, a phawb yn chwerthin am ein penna wrth inni adrodd yr hanes.

Ychydig ddyddiau wedyn daeth penillion trwy'r post, yn dechrau fel hyn:

O heol i heol, yn ddyfal bu'r ddau
Yn chwilio am lety, a'r Crown wedi cau . . .

Colli Dad

Yn 1990 roedd Mam a Dad wedi symud o'r tŷ cownsil i
fyngalo newydd sbon yn Rhosmeirch. Roedd y ddau wrth eu
boddau, a Dad yn ei elfen yn cael trefn ar yr ardd. Cyn pen
dim roedd hi'n llawn o flodau lliwgar, a Mam yn gofalu bod
popeth yn ei le y tu mewn.

Bu'r ddau'n pendroni pa enw i'w roi ar eu cartre newydd,
ond un noson mi gafodd Mam weledigaeth. 'Man Dela',
gwaeddodd dros y tŷ, yn oria mân y bore, nes dychryn Dad,
druan. Roedd Nelson Mandela newydd gael ei ryddhau o
garchar, a dyna'r cwbl oedd ar y newyddion. Roedd Mam
wedi cael yr enw perffaith i'w cartre bach clyd:

Ym Môn, y ddau ffyddlona, – yn Rhosmeirch,
   erys mwy na chartra;
  ynys ddeil gymwynas dda
  ydyw aelwyd Man Dela.

Ymhen dwy flynedd, yn anffodus, mi dorrodd Dad ei glun
– a hynny, coeliwch neu beidio, wrth fynd ar ei liniau i
weddïo ym Man Dela. Doedd Ynyr ddim wedi bod yn hwylus
ers wythnosau, a Dad wedi penlinio i weddïo drosto fo. Wrth
drio codi mi syrthiodd y cradur a thorri'i glun. Bu'n hir yn
dod dros y driniaeth ac roedd hi'n garchar arno i beidio cael
mynd i'r ardd i weithio.

Mi gafon ni gyfnod pryderus efo Ynyr pan oedd o tua tair
oed, gan iddo droi i mewn i'w fyd bach ei hun. Dwi'n
gwybod bod plant yn cael cyfnodau o smalio bod ganddyn
nhw ffrind dychmygol, ond roedd cyflwr Ynyr wedi mynd

yn eithafol. Roedd o wedi mwydro'i ben efo trêns Tomos y Tanc a'i ffrindia, ac yn chwarae'n ddi-baid efo nhw bob cyfle gâi o. Bob hyn a hyn roedd o fel petai'n mynd i drans ac yn syllu'n rhyfedd i'r gwagle, gan wenu weithiau fel petai o'n gwrando ar rywun. Roedd hyn yn digwydd yn aml yng nghanol y nos – byddai'n effro am oriau, yn syllu ac yn sgwrsio'n ddistaw bach neu'n chwerthin yn uchel. Fyddwn i byth yn cael ateb pan fyddwn i'n gofyn iddo efo pwy roedd o'n siarad a chwerthin. Gan fod tad Eifion wedi bod yn gweithio ar y lein, ro'n i wedi mynd i feddwl pob math o betha; tybed a oedd Taid, rywsut, o'r tu hwnt i'r bedd, yn sgwrsio ag o gan na chafodd fyw i'w weld o? Fe barodd y broblem am dri mis ac roedd o'n gyfnod anodd iawn, ond mi ddaeth petha'n ôl i drefn wedyn, diolch byth.

Ymhen y flwyddyn roedd Dad yn yr ysbyty eto'n cael llawdriniaeth – y tro yma ar chwarren y prostad. Doedd o ddim yn un i eistedd a segura ond, yn y cyfnod hwn, a'i olwg yn pylu, roedd yn cael cysur mawr yn gwrando ar dapiau ar gyfer y deillion. Mi fyddai wrth ei fodd hefyd yn gwrando ar gerddoriaeth glasurol, ac wedi iddo wella digon es â fo a Mam i wrando ar 'A Night in Vienna' gyda Cherddorfa'r Hallé ym Mhafiliwn y Rhyl, ac mi gafodd fodd i fyw yno.

Erbyn Mai 1995 roedd problem arall wedi codi: roedd ganddo glot ar ei ysgyfaint ac roedd yn ymladd am ei wynt. Roedd yn gas gen i weld Dad yn diodde fel hyn, ond doedd o byth yn cwyno.

Roedd hi'n fore oer, gaeafol a blanced wen o eira dros bobman ar yr wythfed o Chwefror 1996 pan ffoniodd Richard i ddweud fod Dad yn symol iawn. Dyma ruthro i Rosmeirch a'i gael yn ei wely yn cael trafferth anadlu, ond yn hollol ymwybodol o bawb a phopeth o'i gwmpas. Mi fues i'n eistedd wrth ei wely am oriau, ac mi gofia i o'n dweud, 'Ma 'na giw yna heddiw, ma raid 'sti; mi fydd raid i mi fod yn amyneddgar.' Roedd yn daer am i ni ofalu am Mam, a sicrhau y byddai hi'n iawn wedi iddo fynd. Wrth gwrs, addawodd fy mrawd a finna y bydden ni'n gwneud popeth i ofalu amdani. Bu farw'n dawel yn ei gwsg y noson honno, yn 82 oed.

Roedd Dad a Mam o fewn pythefnos i ddathlu eu priodas aur, ond nid felly roedd pethau i fod, yn amlwg. Roedd Capel Ebenezer, Rhosmeirch, dan ei sang ar gyfer ei angladd, yn dyst i'w boblogrwydd mewn sawl maes a chylch.

Dyma'r delyneg sgwennodd Eifion i gofio amdano:

> Am bedwar ugain mlynedd
> bu'n mwytho fforch a rhaw
> yn emyn ei amynedd,
> yn weddi hardd ei law;
> ac ar ei ddeulin, rhannai'r clod
> â'r Un a'i gyrrai ef a'r rhod.

> Y golwg oedd yn cilio,
> y plygu glin yn straen,
> ond llynedd, unwaith eto,
> bu'r ardd yn hardd ei graen:
> daeth haul a chawod, fel erioed,
> i ddweud fod dau yn cadw'r oed.

> Gwynt Chwefror dros yr ynys
> a'r pridd yn oer a llaith,
> ond blodau wedi'u plannu
> cyn gaeaf ola'r daith

sy'n llunio 'Diolch' ymhob llwyn:
nesáu at Dduw mae'r garddwr mwyn.

Y milflwydd newydd

Y Steddfod yn Ninbych

Roedd bywyd yn dal mor brysur ag erioed, ac erbyn dechrau'r milflwydd newydd roedd Angharad ac Elysteg ym Mhrifysgol Bangor, Ynyr yn Ysgol Glan Clwyd, a Rhys yn tynnu at ddiwedd ei gyfnod yn Ysgol Twm o'r Nant. Roedd bod yn dacsi'n waith llawn amser: danfon Rhys i Wrecsam deirgwaith yr wythnos i ymarfer ei bêl-droed, Ynyr ac yntau'n mwynhau gwersi tennis bwrdd, nofio, piano a gitâr, a hefyd yn aelodau o Anturliwt, yr ysgol gelfyddydau perfformio gafodd ei sefydlu gan Annwen Jones yma yn Ninbych. Byddai'r genod yn dod adra bob hyn a hyn, wrth gwrs, efo llond bag o ddillad budron yn drewi o Neuadd JMJ(!), ond roedd hi'n braf eu gweld nhw a chlywed eu hanesion carwriaethol.

Roedd y Steddfod Genedlaethol yn dod i Ddinbych yn 2001, a phrysurdeb mawr yn yr ardal wrth godi arian a pharatoi. Cafodd Eifion y fraint o fod yn Gadeirydd y Pwyllgor Gwaith, ac roedd yn gyfnod llawn bwrlwm. Mi ges inna'r arswydus swydd o fod yn Gyfarwyddwr Cerdd: hynny ydi, dysgu caneuon y sioe gerdd *A Oes Ateb?* ar gyfer ysgolion cynradd y sir.

Ann Davies o Lansannan a Nia Wyn Jones o Ddinbych oedd wedi sgwennu'r sioe, ac roedd y sgript a'r gerddoriaeth yn wych. Rhyw fath o *Who wants to be a Millionaire?*

oedd y syniad y tu ôl i'r cyfan, ond 'Pwy sy isio bod yn Archdderwydd?' oedd enw'r gêm hon. Wrth reswm, roedd sawl un yn ymwneud â'r sioe, a braf oedd cael deuddydd yn rhydd o'm swydd fel athrawes i fynd o gwmpas ysgolion y sir yn eu tro i hyfforddi'r plant. Fe berfformiwyd y sioe ar y nos Sadwrn gynta, ac roedd yn llwyddiant ysgubol a phawb yn canmol.

Roedd gen i orchwylion eraill, hefyd, yn ystod wythnos y Steddfod – fel canu yn y gwasanaeth yn y pafiliwn, a'r gwasanaeth hwnnw dan ofal Gwyn Erfyl, ffrind i ni fel teulu, a oedd wedi bod yn bennaeth ar Eifion yn nyddiau cynnar HTV yn yr Wyddgrug; canu yn seremoni'r Fedal Ryddiaith; hyfforddi parti o'r ysgol i ganu yn seremoni Cymru a'r Byd, a chystadlu gyda nisgyblion a chyda Côr Merched Glyndŵr.

Er gwaetha clwy'r traed a'r genau mi gawson ni Steddfod i'w chofio, a merch – Mererid Hopwood – yn ennill y Gadair am y tro cynta, a'r perfformiad cynta o gampwaith Robat Arwyn, *Atgof o'r Sêr*, yn gwefreiddio pawb.

Cafodd Eifion yntau ddeud ei ddeud o'r llwyfan mawr fel Llywydd y Dydd ar y Sadwrn ola, gan ennyn cefnogaeth syfrdanol i'w sylwadau gan lawer, ond ei feirniadu gan eraill. Anghofia i byth yr olwg ar wynebau'r pwysigion oedd ar y llwyfan y pnawn hwnnw: ambell un yn nodio a chytuno, eraill yn edrych fel tasan nhw am lenwi eu clos achos mi wydden nhw'n iawn y byddai storm yn torri. Ac felly y bu.

Roedd Eifion wedi dweud ei fod yn amau cymhellion rhai rhieni oedd yn anfon eu plant i ysgolion Cymraeg – nad oedd ganddyn nhw, mewn gwirionedd, unrhyw fwriad i'w plant gael eu Cymreigio, ac mai am resymau addysgol yn unig roedden nhw'n eu hanfon yno. Y plant hynny, wedyn, yn gwrthryfela yn erbyn yr iaith gan alw'u cyd-ddisgyblion yn 'Welshies'; doeddan nhw (a tydyn nhw) ddim yn dymuno dysgu'r iaith yn y bôn, a'r canlyniad anochel ydi eu bod nhw'n casáu bod mewn ysgol Gymraeg.

Roedd y wasg wrth ei bodd, a phobol yn llythyru a phledu'i gilydd o bob ochr. Roedd 'na rai wedi'i gamddeall ac yn meddwl ei fod yn hyrwyddo cenedl Gymraeg, elît; eraill yn cytuno â'i sylwadau ac yn falch ei fod wedi codi'r testun. Mae'r sefyllfa yma yn y gogledd-ddwyrain yn hollol wahanol i'r hyn ydi hi yn y de, wrth gwrs; mae yna fyd o wahaniaeth rhwng cymoedd y de a threfi arfordirol siroedd Dinbych a Fflint. Cymry wedi colli eu hiaith sydd yn y Cymoedd, ond pobol ddŵad ydi canran uchel iawn o boblogaeth Rhyl a Phrestatyn.

Ro'n i'n sobor o falch o Eifion am fod mor ddewr â datgan ei farn y diwrnod hwnnw, a dwi'n cytuno'n llwyr ag o.

Owain Glyndŵr

Chawson ni yn yr ardal yma fawr o seibiant cyn y cyhoeddwyd bod Eisteddfod Genedlaethol yr Urdd ar ei ffordd i Ruthun yn 2006. 'Nôl â ni i wagio'n cadw-mi-geis unwaith eto, a chynnal ribidirês o foreau coffi a the yn yr ardd.

Roedd yr Urdd yn awyddus i ni atgyfodi'r sioe *Owain Glyndŵr* a berfformiwyd gan Ysgol Twm o'r Nant ddwy flynedd ynghynt. Ar ôl trafod efo Angharad oedd yn gyfrifol am y sgript, ac ar ôl iddi dderbyn gwahoddiad gan yr Urdd i gynhyrchu'r sioe gyda chymorth Gwyneth Roberts, dyma dderbyn yr her fawr hon.

Roedd 230 o blant yn cymryd rhan yn y sioe, ac roedd hi'n gryn gamp cael popeth at ei gilydd. Cynlluniwyd set wych ar ein cyfer, cyfansoddodd Ynyr gerddoriaeth ychwanegol ar gyfer y seibiau rhwng y golygfeydd, ac roedd digon o bobol i'n cefnogi ar hyd y daith. O edrych yn ôl, mae'n debyg mai hwn ydi'r gwaith dwi'n fwya balch ohono fo. Roedd dau berfformiad yn ystod wythnos y Steddfod, ac roedd y plant yn ardderchog. Ro'n i mor falch ohonyn nhw a'u proffesiynoldeb, ac mi gafodd y sioe adolygiadau da iawn yn y wasg.

Ro'n i hefyd wedi cael y dasg o hyfforddi côr cynradd y sir ar gyfer gwasanaeth fore Sul y Steddfod. Cafodd pob disgybl Blwyddyn 5 a 6 wahoddiad trwy lythyr, a hwnnw'n egluro y bydden ni'n ymarfer ar gyfer Cyngerdd y Cyhoeddi i ddechrau, ac yna ar gyfer y gwasanaeth. Roedd hi'n braf gweld bod cefnogaeth, achos mi ddaeth 'na 250 o blant. Ond roedd hon eto'n her: gan na fu clyweliadau, roedd 'na rai problemau'n codi, yn arbennig o ran tonyddiaeth – wrth ganu'n ddeulais roedd popeth yn mynd yn ffradach llwyr! Nia Wyn Jones oedd yr is-arweinydd, a byddem weithiau'n rhannu'r plant rhyngom er mwyn gweithio ar y problemau hynny.

Daethpwyd i ben â dysgu'r caneuon mewn pryd, ond tua mis cyn y Steddfod fe ofynnodd cwmni teledu i mi a fyddai rhyw ddeugain o blant y côr yn gallu canu un darn cerdd dant ac ambell gân o waith Caryl Parry Jones yn y cyngerdd ar y nos Sul i ddathlu gwaith Caryl. Gyda chwta bedwar ymarfer o'n blaenau, ac ymarferion *Owain Glyndŵr* hefyd ar y gweill, mi gytunais. Roedd rhaid cynnal gwrandawiadau ar frys i weld pwy fydda'n gallu ymdopi efo'r dasg. A dyna pryd cododd yr halibalŵ!

Pan es i i'r ymarfer yr wythnos wedyn, roedd criw o rieni'n fy nisgwyl ac yn blagardio a chwyno pam nad oedd eu plentyn nhw'n cael bod yn y 'côr bach'. Er i mi drio egluro na wyddwn i ddim am y cyngerdd ychwanegol fy hun tan yr wythnos honno, aeth rhai at y wasg a bu'n destun trafod ar *Taro'r Post* efo Dylan Jones. Dau riant aeth ar y rhaglen i gwyno am y sefyllfa, gydag ambell un arall yn gyrru negeseuon ar y ffôn. Roedd un fam yn dweud ei bod hi wedi gwario dros gan punt yn barod ar docynnau i'r cyngerdd agoriadol, a'i bod yn siomedig iawn nad oedd ei merch hi wedi'i dewis i fod yn y côr bach. Roedd rhiant arall yn cwyno fod ei blentyn wedi cael ei symud i stafell wahanol yn yr ymarferion efo criw o blant eraill, ond y rheswm am hynny oedd ein bod ni'n trio cael y criw dethol rheiny i ganu mewn tiwn!

Bu'n rhaid i mi achub 'y nghroen ar y rhaglen, gan egluro mai gwraidd y broblem oedd nad oedd rhai o'r plant wedi rhoi'r llythyr gwreiddiol a ddosbarthwyd yn y cyfarfod cynta i'w rhieni. Roedd y llythyr hwnnw'n egluro'n blaen mai ar gyfer y gwasanaeth boreol y byddai'r côr cyfan yn ymarfer. Datblygiad diweddarach oedd y côr bach, ar gais y cwmni teledu.

Cafodd yr Urdd a finna'n cyhuddo o chwarae efo emosiynau'r plant, a honnwyd y byddai hyn yn gadael blas chwerw ar ei ôl. Fy marn i am y cyfan oedd fod pobol yn gwneud môr a mynydd o ddim byd. Cais munud ola gan gwmni teledu oedd hwn, ac felly yn yr amser byr oedd ar ôl doedd dim i'w wneud ond dethol criw bychan a fyddai'n gallu dysgu'n sydyn.

Mae 'na gyfnodau mewn bywyd pan ddylid derbyn barn a phenderfyniad pobol eraill, a dwi'n credu'n gry mewn cael safon, yn enwedig ar ein llwyfannau cenedlaethol. Pan mae rheolwr tîm pêl-droed yn dewis ei dîm yn yr Uwchgynghrair, mae o'n siŵr o ddewis ei dîm gorau bob tro, 'yn tydi?

Diwrnod i'w anghofio!

Roedd hi'n fore braf o Awst pan benderfynon ni fynd i ben yr Wyddfa. Ro'n i wedi bod i'w chopa unwaith o'r blaen pan o'n i'n saith oed, ac er mod i'n 46 erbyn hyn, ro'n i'n reit heini o hyd.

Doedd Angharad ddim efo ni'r diwrnod yma, ond roedd y tri arall yn llawn cyffro wrth inni baratoi at yr antur. Efallai mai camgymeriad oedd dewis mynd i fyny o Ryd-ddu, a chamgymeriad mwy oedd i ni gael egwyl fach ar y ffordd i fyny, ac i mi fwyta eirinen – un eirinen fawr biws, oedd yn hynod o flasus, gyda llaw. Fel roeddan ni'n esgyn yn uwch, roedd y llwybr yn mynd yn gulach a'r niwl annisgwyl yn dechrau lapio amdanon ni. Ro'n i'n bryderus, achos roedd yr hogia'n mynnu rhedeg o'n blaenau a finna ofn iddyn nhw syrthio. Ymhen dim ro'n i'n teimlo fy nhu mewn yn corddi ac yn cynhyrfu, a ches y poen bol mwya uffernol ges i rioed! Roedd yr hogia wedi dechrau gwrando erbyn hyn, ac Eifion yn cadw llygad barcud arnyn nhw, achos roedd o'n gwybod nad o'n i yn fy hwylia gora.

Yr unig beth oedd ar fy meddwl i oedd faint o amser fyddai hi'n gymryd i ni gyrraedd y copa er mwyn i mi ei sgrialu hi am y tŷ bach. Wrth i deithwyr eraill ddod i'n cyfarfod, ro'n i'n eu holi nhw faint o amser fyddai'n gymryd i ni gyrraedd, a phawb yn rhoi ateb gwahanol i mi. 'Oh, you haven't got far now, luv,' meddai un, ond un arall yn dweud yn syth bìn y cymerai awr arall inni gyrraedd y brig. O diar, y bol yn rhoi tro arall a finna'n dechra panicio go iawn rŵan!

'Pam na fasan nhw wedi adeiladu tai bach ar ochor yr Wyddfa 'ma?' medda fi wrth Eifion, oedd yn deall yn iawn be oedd fy mhroblem i. Roedd hi wedi dechrau bwrw, a'r gwynt a'r niwl am y gorau'n trio ein trechu. Erbyn hyn, a ninna bron ar ein pedwar yn straffaglio i ddringo ambell fan, roedd petha wedi mynd yn drech na fi go iawn! Mi fyddai raid i mi lenwi nghlos neu ollwng fy ngharthion ar ochor y mynydd yn rhywle . . . ond *ble* oedd y cwestiwn mawr!

Roedd Eifion yn sylweddoli mod i mewn poen, felly dyma fo'n dweud wrth Elysteg am gadw golwg ar yr hogia a pheidio symud o'r fan, a mynd â fi i'r ochor lle nad oedd pobol yn pasio. Cael a chael oedd hi – ac nid isio pi-pi o'n i, os dach chi'n deall be sgin i! Ro'n i ar fy nghwrcwd yn fanno wedi lapio fy nghagŵl o nghwmpas i drio lleihau'r embaras. Roedd Eifion druan wrth fy ymyl yn gorfod diodda'r cyfan ac yn tosturio drosta i. I goroni'r cyfan, fel tasa hyn ddim yn ddigon o g'wilydd, allan o'r niwl – fel mewn ffilm – dyma 'na ddau'n ymlwybro reit heibio i ni. Rhyw syllu'n ddigon amheus arna i wnaethon nhw wrth basio, a finna'n fanno fel iâr yn gori.

Wedi'r gyflafan ro'n i'n teimlo'n well am sbel, a ffwrdd â ni i nôl Elysteg a'r hogia, oedd wedi aros yn ufudd amdanon ni, chwarae teg. Dal ati i ddringo, ond y cnewian yn dechrau yn fy mol unwaith eto. Fues i rioed mor falch o gyrraedd unrhyw gopa ond doedd gen i ddim diddordeb mewn edrych ar yr olygfa – dim ond gwthio heibio i bawb yn y ciw tŷ bach, a chyrraedd jyst mewn pryd! Ro'n i'n gobeithio'r nefoedd na welwn i'r cwpwl oedd wedi mhasio ar y ffordd i fyny, rhag ofn y bydden nhw'n fy nabod i rywsut.

Mi ddaliodd y plant a finna'r trên bach i lawr tra cerddodd Eifion. Ar y ffordd adra, roeddan ni'n cael pwff o chwerthin afreolus bob hyn a hyn wrth gofio helbulon y diwrnod. Dwi rioed wedi dweud yr hanes yma wrth neb o'r blaen, ond ro'n i'n meddwl ei fod o'n ddigri iawn wrth edrych yn ôl. Wna i byth fentro i ben yr Wyddfa eto. Ac os gwnewch chi – wel, gwyliwch ble rydach chi'n troedio. A pheidiwch byth â bwyta eirinen cyn mynd.

I'r Eidal am Ladin

Daeth cyfle i saith o athrawon Sir Ddinbych fynd i astudio yn ne'r Tyrol yn yr Eidal yn Hydref 2006. Er mwyn dewis pwy oedd am gael mynd o Ysgol Twm o'r Nant rhoddwyd enw pawb mewn het a thynnu un allan. Anaml y bydda i'n ennill raffl, felly do'n i ddim yn obeithiol nac yn rhy siŵr a fyddwn i isio mynd, beth bynnag, o gofio y byddai'n rhaid hedfan. Ond wir, fy enw i ddaeth allan o'r het y bore hwnnw.

Caed arian ar gyfer y daith gan Gyngor Addysgu Cyffredinol Cymru a'r Cyngor Prydeinig, a chefnogwyd yr astudio gan Awdurdod Addysg Sir Ddinbych. Pwrpas yr ymweliad oedd gweld sut roedd plant mewn ysgolion sy'n cyfateb i'n hysgolion ni'n cael eu haddysgu trwy gyfrwng nifer o ieithoedd gwahanol: Ladin (nid Lladin fel roeddan ni'n gorfod ei dysgu ers talwm, ond Ladin, yr iaith frodorol), yn ogystal ag Almaeneg, Eidaleg a Saesneg.

Mi fues i'n astudio mewn ysgol gynradd ym mhentre bach Corvara: ysgol oedd â 76 o ddisgyblion o 7 i 11 oed, a chynifer â 10 athro. Roedd oriau'r ysgol o wyth y bore tan hanner dydd, achos yn y pnawn roedd y plant yn cael dewis eu gweithgareddau, boed yn chwaraeon neu gerddoriaeth. Roedd hi'n ysgol braf, eang ac yn hynod o lân. Un rheswm pam roedd hi mor lân oedd fod y plant yn gwisgo slipars yn yr ysgol ac yn newid i'w hesgidiau i fynd allan i chwarae.

Ychydig iawn o blant oedd ym mhob dosbarth – cyn lleied â saith ym Mlwyddyn 4, a'r dosbarth mwyaf a welais i oedd dosbarth o un ar bymtheg ym Mlwyddyn 5. Felly doedd dim problem disgyblaeth o gwbl, a phob plentyn yn cael y sylw dyladwy. Roedd awyrgylch yr ysgol yn hynod hamddenol; doedd dim brys i wneud dim, a'r plant yn treulio digon o amser ar dasgau amrywiol trwy gyfrwng y gwahanol ieithoedd. Roedd muriau'r dosbarthiadau'n blaen iawn a'r silffoedd yn brin o lyfrau, ond roedd hi'n werth gweld yr offer ardderchog oedd ganddyn nhw yn y gampfa.

Roedd yn rhaid i bob athro fedru dysgu mewn tair iaith, ac os nad oedden nhw'n rhugl yn un ohonyn nhw, yna mi fydden nhw'n gorfod mynd i ffwrdd am chwe mis i ddysgu'r iaith honno'n drwyadl cyn mynd o flaen unrhyw ddosbarth o blant. Mae 'na neges i ni yng Nghymru yn fanna, yn sicr.

Mi ges i gyfle i roi sawl gwers Saesneg, ac i ganu ambell alaw werin Gymraeg iddyn nhw. Mi ofynnes iddyn nhw ganu i mi, a dyma be ges i: 'We Wish you a Merry Christmas'! Ar ôl i mi erfyn am gân arall, mi ganon nhw un yn yr iaith Ladin, diolch am hynny. Mi fuon ni'n trafod nifer o ffactorau oedd yn debyg o ran cadw'r iaith frodorol yn fyw yn ein hardaloedd, ac mi gafon ni flas ar rannu a sylwi ar ddulliau dysgu sy'n helpu plant i fod yn rhugl mewn pedair iaith o oedran ifanc iawn.

Dwi'n hynod o falch o fod wedi cael y cyfle, a gweld rhan o'r byd na fues i rioed ynddo o'r blaen. Roedd y golygfeydd yn odidog, y bobol yn groesawgar a chwmnïaeth y chwe athrawes arall yn hyfryd – ac, wrth gwrs, roedd y bwyd yn fendigedig! Y flwyddyn ganlynol, daeth y criw o athrawon y buon ni'n ymweld â nhw drosodd i Gymru i weld ein hysgolion ninnau.

Newid swydd

Wedi pymtheg mlynedd hapus iawn fel athrawes yn Ysgol Twm o'r Nant, ro'n i'n teimlo'i bod hi'n bryd symud ymlaen, a daeth cyfle i drio am swydd newydd fel Athrawes Bro yn Sir Ddinbych.

Ces wybod bod dyddiad y cyfweliad yng nghanol wythnos Eisteddfod Genedlaethol yr Urdd Sir Gâr, oedd yn golygu teithio'n ôl o'r Steddfod i gael fy nghyfweld yn Rhuthun. Mi fues i'n ffodus o gael y swydd, ac felly dim ond saith wythnos oedd gen i ar ôl yn Twm o'r Nant. Roedd gen i deimladau cymysg iawn wrth feddwl am adael, ond roedd y llwyth o waith papur a ddaethai'n rhan o'r swydd wedi dechrau lladd fy mrwdfrydedd i.

Mi ges i groeso mawr gan y pedair Athrawes Bro ym Medi 2007, ac yn gyfleus iawn i mi roedd ein swyddfa yn Ninbych. Ro'n i'n cydweithio'n benna gyda Carys Lloyd Roberts, hogan glên a roddodd fi ar ben ffordd yn yr wythnosau cynta. Fy nyletswyddau oedd cefnogi athrawon ysgolion cynradd Cymraeg y sir – a chyda'r athrawon ifanc newydd, eu cynorthwyo i gynllunio trwy roi gwersi arddangos iddyn nhw a threfnu cyrsiau ar eu cyfer. Roedd digon o amrywiaeth o fewn y swydd ac ro'n i'n hapus.

Yn fuan iawn bu'n rhaid i mi ddechrau dysgu yn yr ysgolion ail iaith yn ogystal â'r ysgolion mamiaith, ac roedd hwn yn fyd newydd sbon i mi. Roedd rhaid addasu fy iaith ar eu cyfer, ac ymgyfarwyddo ag adnoddau ail iaith. Rhaid dweud fod y cyfan yn agoriad llygad!

Erbyn hyn, a finna yn y swydd ers chwe blynedd, dwi'n gweithio bron yn gyfan gwbl yn yr ysgolion ail iaith: ysgolion yn ardaloedd Llangollen, Corwen, Prestatyn a'r Rhyl gan amla. Mae rhai o'r athrawon yn arbennig o dda ac yn ymdrechu'n galed i ddysgu'r iaith i'r plant, ond dwi'n anobeithio'n llwyr efo llawer o rai eraill. Sut yn y byd mae disgwyl i athrawon di-Gymraeg ddysgu'r iaith i'n plant pan na fedran nhw hyd yn oed ei hynganu'n gywir eu hunain?

Dyma enghreifftiau i chi o ambell beth dwi wedi'i glywed dros y blynyddoedd. Meddai un athro: 'Say after me children, "Mae gen i gŵr pen" ' – a'r plant i gyd yn ailadrodd 'Mae gen i gŵr pen' fel adnod. Athrawes arall yn dweud, 'We are going to talk about "ffy coff" today, children. Say after me – "ffy coff".' Wrth gwrs, 'fy nghorff' roedd hi'n drio'i ddweud, ond bu bron i mi ddisgyn oddi ar fy nghadair wrth ei chlywed hi wrthi.

Mae'n debyg fod un rhiant wedi cwyno bod ei blentyn yn mynnu canu cân newydd roedd o wedi'i dysgu yn yr ysgol: 'Mr Hapus had a wee, had a wee.' Ond yr hyn roedd y plentyn yn trio'i ganu oedd: 'Mr Hapus ydw i, ydw i.' Plentyn arall wedi mynd adra a chanu 'Blydi coesau, blydi coesau' yn lle 'plygu coesau'. Mae'r enghreifftiau'n ddiddiwedd.

Mae cyrsiau ar gael ar gyfer yr athrawon hyn ond, yn anffodus, yn aml iawn dydi'r prifathrawon ddim yn fodlon eu rhyddhau oherwydd bod cymaint o alwadau arnyn nhw yn yr ysgolion. Hen dro na fyddai polisi ysgolion gogledd yr Eidal yn bodoli yma, fel y byddai modd gyrru pob athro di-Gymraeg i Nant Gwrtheyrn am chwe mis.

Wrth gydweithio efo Carys mi ges gyfle i roi fy sgiliau cerdd ar waith trwy sgwennu llyfr o'r enw *Iaith ar Gân*. Syniad Carys oedd gloywi iaith disgyblion trwy ganu, felly dyma fynd ati i gyfansoddi ugain o ganeuon oedd yn canolbwyntio ar hynny, a Carys wedyn yn llunio gwersi i gyd-fynd â'r caneuon. Dwi'n hynod o falch fod y llyfr wedi'i gyhoeddi gan CBAC a'i ddosbarthu i holl ysgolion Cymraeg y wlad. Dwi wastad yn meddwl bod y dull o ddysgu iaith trwy ganu a pherfformio yn llwyddo, ac mi hoffwn wneud mwy o hynny gyda'r disgyblion ail iaith.

Dwi'n colli prysurdeb a bwrlwm ysgol, ac yn edmygu pob athro sy'n gweithio mor galed yn ystod oriau ysgol a chyda'r nosau hefyd.

Erbyn hyn, dim ond am dridiau o'r wythnos rydw i'n gweithio, gan fod gen i ddyletswyddau eraill rŵan ers i mi ddod yn nain!

Chwaneg o bartïon

Enfys, Parti Dyffryn Clwyd a Lleisiau'r Nant

Dwi wedi bod yn dysgu plant i ganu ers blynyddoedd bellach, ac wedi mwynhau pob eiliad yn eu cwmni. Oes, mae 'na gyfnodau pan fydda i'n teimlo mod i wedi cael llond bol ar glywed ambell gân drosodd a throsodd, ond mae gan bob plentyn ei arddull a'i gymeriad ei hun i'w rhoi mewn perfformiad. Mae sawl disgybl yn sefyll allan, wrth gwrs, ac wedi gwneud cryn enw iddyn nhw'u hunain erbyn hyn.

Dwi'n cofio cyfeilio yn y gwasanaeth yn Ysgol Twm o'r Nant un bore a chlywed hogyn bach tua phump oed yn canu nerth esgyrn ei ben yng nghanol y dorf. Mi holais ei athrawes pwy oedd o, ac mi atebodd hitha mai ei enw oedd Steffan Rhys Hughes. Ro'n i'n nabod ei rieni'n iawn, ac mi soniais wrthyn nhw fod ganddo fo lais bendigedig ac y dylai gystadlu mewn steddfodau. Ers hynny mae o wedi troedio sawl llwyfan, bach a mawr, ac wedi dod â chlod i'r ardal dro ar ôl tro. Mae hi wedi bod yn bleser dysgu hogyn mor gerddorol a dawnus â Steffan.

Yn yr un dosbarth ag o roedd merch o'r enw Angharad Rowlands, ac roedd ganddi hitha lais hynod o dlws. Mi feddyliais y byddai ei llais hi a Steffan yn gweddu'n dda efo'i gilydd, a dyma roi cynnig arni. Fu dim troi'n ôl wedyn, ac mae'r ddau wedi ennill fel deuawd sawl gwaith yn y Genedlaethol.

Dros y blynyddoedd dwi wedi dod ar draws lleisiau gwirioneddol wych ac wedi cael y cyfle i'w meithrin a'u hannog. Bydd ambell gymdeithas yn gofyn i mi gynnal noson gyda'r disgyblion hyn, a dyna sut y daeth y grŵp Enfys i fodolaeth. Roedd saith ohonyn nhw, sef Bethany, Mared, Leah, Jade, Amber, Angharad a Steffan, ac mi gawson ni sawl blwyddyn lwyddiannus yn diddori, gydag ambell ymddangosiad ar y teledu hefyd.

Wrth gwrs, mi dorrodd llais Steffan ac aeth Mared a Jade i'r coleg, ond roedd eraill yn barod i lenwi'r bwlch, ac erbyn heddiw mae Mared Elin, Ceri, Ruth a Celyn hefyd yn aelodau o Enfys. Maen nhw wedi cynnal cyngherddau lu ac wedi dod â phleser amhrisiadwy i mi, pleser y bydda i'n ei drysori am byth.

Ro'n i mor falch o glywed fod Jade wedi gwireddu breuddwyd a chael rhan flaenllaw yn y sioe *Les Misérables* yn y West End yn Llundain. Bu'n llwyddiannus mewn sawl steddfod a gŵyl dros y blynyddoedd, ac mae ganddi ddawn naturiol a llais bendigedig. Mi ges neges gan Sue, ei mam, yn dweud: 'Thank you so much for believing in her at such a young age; you were her inspiration.' Mae neges fel'na'n golygu cymaint i mi.

Mae Enfys yn cael derbyniad gwych ym mhob cyngerdd, a chynulleidfaoedd gan amla ar eu traed ar y diwedd. Mi fydd llawer yn dod aton ni i ofyn a oes ganddon ni CD ar werth ond, yn siomedig iawn, er i mi holi am bosibiliadau eu recordio, ni chaed unrhyw gynnig. Yn ddiweddar roedd Enfys yn canu yng Nghaernarfon, ac yn y gynulleidfa roedd fy nghyn-athro Gwyddoniaeth yn Ysgol Uwchradd Llangefni, Mr Brian Williams. Daeth ata i ar y diwedd a dweud: 'Dwi mor falch na wnes i wyddonydd ohonach chi, Leah, neu fasan ni ddim wedi cael y wledd anfarwol yma heno!'

Dwi wedi mwynhau gweithio efo pobol ifanc ers dyddiau Parti'r Ynys, a dyna pam, rhyw dair blynedd yn ôl bellach, y sefydlais i Barti Dyffryn Clwyd er mwyn cystadlu yn y Genedlaethol. Parti o ugain o ferched ifanc oed uwchradd ydi Parti Dyffryn Clwyd – i gyd, bron iawn, yn ddisgyblion i mi, felly rydan ni'n deall ein gilydd yn iawn. Y broblem fwya dwi'n ei chael efo nhw ydi trefnu pryd mae pawb ar gael ar gyfer ymarfer: mae hynny'n hunlle! Yn aml iawn yr unig adeg mae pawb efo'i gilydd ydi pan fyddan nhw ar lwyfan y Genedlaethol, ond fyddan nhw byth yn fy siomi; maen nhw'n rhoi cant y cant bob tro, ac mi fydda i mor falch ohonyn nhw.

Dwi ddim wedi sôn eto am y côr sy gen i erbyn hyn hefyd, sef Côr Lleisiau'r Nant. Mae 'na tua saith deg neu fwy ynddo fo; mae rhai cyn-aelodau o Ferched Glyndŵr yn dal efo ni, ond mae 'na waed ifanc newydd ynddo hefyd. Mae'n braf gweld cynifer o famau ifanc yn mwynhau noson o ganu yng nghwmni ei gilydd, ac yn cael y cyfle i ddysgu'r grefft o ganu cerdd dant. Mae'r côr yn bodoli ers rhyw bum mlynedd bellach, ac wedi cael cryn lwyddiant, mae'n dda gen i ddweud.

Gwobr Goffa Syr T. H. Parry-Williams

Roedd hi'n fore oer ym mis Chwefror 2010 pan ganodd y ffôn yn gynnar. Ro'n i ar fin cychwyn am Glan-llyn am dridiau efo cant a hanner o blant cynradd. Er syndod i mi, Elfed Roberts, Cyfarwyddwr yr Eisteddfod Genedlaethol, oedd ar ben arall y ffôn, a fedrwn i yn fy myw feddwl pam y byddai'n fy ffonio am 7.30 y bore!

Daeth yn syth at ei neges, a gofyn: 'Sut basat ti'n lecio cael medal Syr T. H. Parry-Williams yn y Steddfod leni? Ti wedi cael dy enwebu gan sawl un am dy gyfraniad efo pobol ifanc yr ardal.'

Mi es yn fud am eiliad gan feddwl bod rhywun yn tynnu fy nghoes i, ond ro'n i'n nabod llais Elfed yn iawn, felly doedd dim posibilrwydd mai rhyw Elis Jones oedd ar ben arall y ffôn! Roedd y newydd yn andros o sioc, ond mi lanwyd fi â balchder hefyd, wrth gwrs. Y newyddion da oedd na fyddai gofyn i mi wneud na dweud dim yn ystod y seremoni, felly mi dderbyniais yn llawen. Siarsiodd Elfed fi i beidio yngan gair wrth neb nes ei fod o wedi'i gyhoeddi yn y wasg. Wrth gwrs, roedd yn rhaid i mi gael dweud wrth Eifion, ac roedd yntau'n falch iawn. Mi dreuliais y tridiau yng Nglan-llyn â gwên wirion ar fy wyneb, ac roedd yn rhaid i mi f'ysgwyd fy hun bob hyn a hyn i sicrhau nad breuddwydio ro'n i.

Pan ddaeth mis Awst roeddan ni fel teulu wedi trefnu llety yn y Coed Duon. Ro'n i'n teimlo bod Cwm Rhymni'n bell i ffrindia ddod i gefnogi, ond yn gwybod y byddai fy nheulu agos yno efo fi. Ddydd Mawrth roedd y seremoni, ac roeddan ni i gyd yn falch o gyrraedd cefn y llwyfan gan fod y tywydd mor stormus y tu allan. Ro'n i, Eifion, Angharad, Elysteg, Ynyr, Rhys, Mam a'r Parchedig Wayne Roberts (oedd wedi f'enwebu yn y lle cynta) yn barod – a wir, ro'n i'n teimlo'n reit nerfus a chyffrous. Mi wyddwn y byddai Enfys yn rhoi eitem yn ystod y seremoni, ond wyddwn i ddim pam roedd gan Eifion feicroffon yn tyfu allan o'i ên. Ro'n i'n gobeithio'r nefoedd nad oedd o'n mynd i ganu i mi!

Roedd yn rhaid ufuddhau i Hywel Wyn Edwards a ffurfio

rhes daclus i fartsio i'r llwyfan efo'r Archdderwydd, Jim Parc
Nest, Prydwen Elfed Owens, Garry Nicholas, R. Alun Evans
a Richard Davies, Cadeirydd y Pwyllgor Gwaith. Mi ges
ollyngdod o weld nad oedd y Pafiliwn yn wag fel ro'n i wedi
ofni y byddai o, ond yn hytrach yn llawn ffrindia a
pherthnasau. Y criw cynta i mi eu gweld oedd fy hen ffrindia
coleg yn eistedd yn y rhes flaen fel blaenoriaid, ond roedd
yn dipyn o siom sylwi nad oedd Ann Hopcyn efo nhw. Ro'n
i wedi bod yn siarad efo Ann ar y Maes y diwrnod cynt;
roedd hi braidd yn ddi-sgwrs ar y pryd, a dweud y gwir, a
soniodd hi ddim am y seremoni chwaith.

Ond mi sylwais fod Richard, fy mrawd, ac Alwena'i wraig
yno, a fy meibion-yng-nghyfraith, Dafydd a Clive, gyda
Gwenno fach, fy wyres naw mis oed, ar lin Dafydd. Roedd
yno lu o ffrindia o bell ac agos wedi dod i gefnogi hefyd, ac
roedd hyn wedi codi nghalon ac yn golygu llawer i mi.

Wedi i mi gyrraedd y llwyfan heb faglu, mi ddwedodd
R. Alun Evans bethau neis amdana i, ond roedd fy meddwl
i'n crwydro braidd. Ro'n i'n ystyried be fasa Dad yn ei
feddwl, ac mor falch fasa fo – a Dewi a Myra Jones a
ddysgodd bopeth i mi am ganu a dehongli. Oherwydd y
bobol yma yr o'n i'n eistedd ar y llwyfan y funud honno'n
derbyn y fath glod. Ro'n i'n falch fod Mam yno efo ni, a
hitha'n naw deg oed. Roedd hi a Dad wedi aberthu cymaint
er mwyn i mi gael gwersi cerddorol 'nôl yn y chwedegau.

Daeth Enfys ymlaen i ganu, a phawb yn mwynhau eu
datganiad. Ond heb yn wybod i mi, roedd sawl syrpréis i
ddod yn ystod y seremoni. Ar y wal fideo roedd cyfarchiad
caredig a chlên gan Steffan ac Angharad, ac yna Huw
Edward Jones yn hel atgofion o'r cyfnod y bues i'n ei ddysgu
o 'nôl yn y saithdegau. Roedd 'na hefyd hen glip ohona i'n

canu yn Steddfod Bangor yn 1971 pan o'n i'n ddwy ar bymtheg oed – sôn am olwg! Ond wedyn mi ges i goblyn o fraw pan gododd trŵps tŷ ni i gyflwyno rhyw sgets fach ddoniol roedd Eifion wedi'i llunio, cyn iddo adrodd ei englyn i mi:

> Rhoi i'w chôr a'i chantorion – orau'i chrefft:
> Rhoi ei chreu ym Mhrion;
> Rhoi i lawer alawon,
> Rhoi ei hoes yw rhoi i hon.

I goroni'r cyfan, dangoswyd ar y wal fideo glip o Barti'r Ynys yn canu, ond pwy gerddodd i'r llwyfan yr un pryd ond aelodau'r union barti hwnnw i ganu hen osodiad cerdd dant ro'n i wedi'i ddysgu iddyn nhw flynyddoedd maith yn ôl. A phwy, meddech chi, oedd yn cyfeilio ar y delyn? Pwy ond Ann Hopcyn! Wel, mi o'n i wedi gwirioni.

Ar ôl i Prydwen f'arwisgo efo'r fedal, daeth y seremoni i ben, a finna'n gorfod sefyll ar ganol y llwyfan i wynebu'r gynulleidfa. Dyna pryd y teimlais i'n emosiynol iawn. Roedd yn deimlad braf sylweddoli bod pobol yn gwerthfawrogi'r hyn dwi wedi'i wneud, ac yn dal i fwynhau ei wneud; ond fel dwi wedi dweud lawer tro, nid er mwyn ennill medal dwi'n ei wneud o.

Roedd y Parchedig Wayne Roberts a ffrindia agos wedi paratoi gwledd yng nghefn y llwyfan i ni i gyd, a dwi'n hynod o ddiolchgar i bawb a wnaeth y diwrnod yn un mor arbennig a chofiadwy.

Fel tasa hynny ddim yn ddigon, ddiwedd Awst mi drefnodd Wayne a chyfeillion eraill noson arbennig ar fy nghyfer i a llu o'm ffrindia oedd wedi methu dod i lawr i'r de. Unwaith eto daeth nifer o fy nghyn-ddisgyblion yno i ganu a chymdeithasu. Mi dderbyniais freichled arian ac englyn Eifion wedi'i gerfio arni, ac englyn arall yn rhodd gan Berwyn Roberts wedi'i gerfio ar lechen gan Gwyn Hafod Elwy:

> Ag afiaith fe roist yn gyfan – y rhodd
> o freuddwyd fu'n llwyfan
> anrhydedd, a rhoi trydan
> hyder gwawr yn nodau'r gân.

Mi fydda i'n trysori'r cyfan am byth. Yn y tŷ 'cw, hefyd, mae Eifion wedi mynnu fframio'r cywydd a luniodd John Glyn i mi:

> Y mae un yma heno
> â dawn brin i hudo'n bro
> a'n cenedl; bu'i hacenion
> draw ymhell o frodir Môn,
> a swynodd ei llais hynod
> ninnau, bawb, i fêr ein bod.
>
> Amheuthun yw'r un a all
> roi ei horiau i arall:
> rhoi amser i bob seren
> a wnaeth Leah gyda gwên;
> o wers i wers, fe ddug hon
> y rhai iau i'w gwobrwyon.
>
> Trwy'i hegni, bu'i phartïon
> ar y brig bob amser, bron:
> o'i hamynedd, daeth mwyniant
> a hen wefr gan Leisiau'r Nant;

186

a'n hudo yn gyffro i gyd
wna Enfys wrth greu gwynfyd.

Hyn oll wnaeth Leah i ni;
rhoddwn yn ddiolchgar iddi
ddiolch am fod mor ddiwyd
a byw'n y rhan hon o'r byd.
Haeddu brwd anrhydedd bro
y mae un yma heno.

Yn dilyn hyn i gyd, ces fy urddo â'r Wisg Wen yn yr
Orsedd yn Eisteddfod Genedlaethol Wrecsam a'r Fro y
flwyddyn ganlynol – hyn eto'n fraint ac yn anrhydedd fawr.

Patagonia

Gŵyl y Glaniad

'Canwch 'ych gora,' medda fi wrth aelodau Enfys wrth inni gerdded i'r Clwb Rygbi yn Ninbych i ganu i griw Gŵyl y Glaniad, 'achos wyddoch chi ddim, ella cewch chi wahoddiad i fynd i ganu i Batagonia.' Roedd llond yr ystafell o bobol o bob cwr o Gymru a rhai o Batagonia, a'r genod wedyn yn eu diddori nhw ar ôl y gwledda.

Fel ro'n i'n pacio'r allweddellau ac yn casglu mhetha at ei gilydd, daeth Elvey MacDonald ata i i holi a fyddai gen i ddiddordeb mewn mynd i Batagonia i feirniadu yn Eisteddfod y Wladfa. Fy ymateb cynta oedd: 'Be am y genod? Be am Enfys? Oes cyfle iddyn nhwytha ddod hefyd, i ganu?' Ateb Elvey oedd y byddai'n bosib i'r genod ddod, ond y byddai'n rhaid iddyn nhw dalu tra cawn i hedfan am ddim.

Mi wyddwn yn syth y byddai'r costau'n ormod i'r genod. Roedd 'na gymysgfa o deimladau'n mynd trwy meddwl i, achos fues i rioed ag awydd mawr mynd i Batagonia. Rhyw deimladau cymysg fu gen i am y criw cynta a aeth drosodd ar y *Mimosa*, gan feddwl sut basan ni yma yng Nghymru'n teimlo tasa 'na griw o wlad arall yn dod i fyw yma gan ddod â'u hiaith a'u diwylliant efo nhw? Ond wedyn, doedd cynnig fel hyn ddim yn dod yn aml.

Y noson honno mi fues i'n trafod efo'r teulu, a barn pawb oedd y dylwn i fanteisio ar y cyfle. Dyma ffonio Elvey, felly, a dechrau trafod y gwahanol bosibiliadau o ran teithio. Roedd hi bron yn Awst yn barod, a'r daith i fod ym mis Hydref. Do'n i ddim am fynd yr holl ffordd i Batagonia i feirniadu a gweld fawr ddim o'r wlad, felly mi benderfynais ymuno â thaith roedd Elvey wrthi'n ei threfnu ar gyfer criw bychan. Ond ar ôl astudio'r dyddiadau, a chanfod nad oedd yn bosib i mi deithio 'run pryd â nhw oherwydd galwadau gwaith, doedd dim amdani ond mynd rhyw dridia ar eu holau, ac ymuno â nhw'n nes ymlaen.

Doedd gan Eifion fawr o awydd mynd i Batagonia. Ei farn o oedd y byddai wedi bod yn well i'r Gymraeg tasa criw'r *Mimosa* wedi aros adra! Mi fyddai hefyd yn gostus inni fel teulu, wrth gwrs. Felly, am y ddau fis nesa, ro'n i'n pendroni sut yn y byd ro'n i am fynd mor bell ar fy mhen fy hun. Dwi wastad wedi bod yn rêl dafad mewn maes awyr – yn dilyn Eifion i bob man heb feddwl dim na chymryd unrhyw fath o sylw o arwyddion, na gwrando ar y lleisiau diarth ar yr uchelseinydd. Mae o wastad wedi bod mor ddibynadwy a gofalus ohona i, felly ro'n i'n dechra poeni. Mi benderfynais y byddai'n rhaid i mi fod yn ddewr a sefyll ar fy nhraed fy hun am unwaith. Doedd dim amdani ond cynllunio'n fanwl, a dilyn cyfarwyddiadau Elvey.

Ro'n i wedi deall fod criw o ardal Llangwm yn mynd i'r steddfod i gystadlu, a wir i chi, pwy oedd y rhai cynta welais i ym maes awyr Manceinion ond Bethan Smallwood a'i chôr. Yn anffodus, do'n i ddim yn hedfan ar yr un awyren â nhw! Dim ond hanner awr o daith ydi hi i Heathrow, ac mi fues i'n hirach yn aros am fy nghês nag y bues i yn yr awyr. Taith hanner awr wedyn ar fws i westy yn Llundain, llyncu tamaid o fwyd, ac i ngwely gan fod gofyn codi drannoeth am bedwar y bore.

Hedfan wedyn o Lundain i Fadrid, a thipyn o ras a phanic yn fanno i ddod o hyd i'r awyren nesa gan nad o'n i wedi deall neges y peilot – tydi'n anodd eu deall nhw'n siarad, dudwch?! Beth bynnag, mi gyrhaeddais yr honglad awyren mewn pryd a chael sedd reit yn y cefn, y drws nesa i'r toiled! Roedd sedd wag wrth f'ochor i ond buan y llanwyd hi gan ddyn nobl, chwyslyd yr olwg. Do'n i ddim yn rhagweld y byddwn yn cael fawr o sgwrs efo fo gan fod yr iaith ar ei bapur newydd yn ddiarth iawn i mi, a'r diffyg gwên ar ei wyneb yn adrodd cyfrolau.

Fel dach chi wedi hen ddallt erbyn hyn, dwi ddim yn gwirioni ar y busnas fflio 'ma. Roedd gen i ddeuddeg awr o daith o mlaen, ond roedd hon yn Rolls Royce o awyren. Dwi'n siŵr bod lled ei hadenydd yn fwy na phentre Prion i gyd. Ymhen rhyw ddwyawr, a finna'n llwgu erbyn hyn, daeth yr hambwrdd bach o gwmpas i bawb. Ond och a gwae! Yr unig ddewis oedd *moussaka* neu *risotto*. Dwi'n casáu *moussaka* a ddim yn or-hoff o *risotto* chwaith, ond dyma roi cynnig arno. Wedi agor y carton bach ffoil roedd o'r peth tebyca welsoch chi i chwd cath, ac roedd o'n blasu felly hefyd (am wn i). Diolch byth am y rolsan fach sych, ond mi sylwais fod y slebog tawedog wrth f'ochor i'n sglaffio'r wledd. Fedrwn i yn fy myw â chysgu gan mod i'n eistedd wrth y toiled, a'r sŵn dŵr yn cael ei lowcio i lawr y pan yn gyfeiliant i'r holl daith.

Dyma gyrraedd Buenos Aires, a finna'n methu dirnad pa amser o'r dydd oedd hi gan fod yr oriau'n wahanol. Roedd merch ifanc yn aros amdana i i fynd â fi i westy. Nadreddu'n wallgo wedyn trwy'r ddinas a'r ferch yn trio dangos llefydd o bwys i mi ar y ffordd, ond gan mod i mor flinedig roedd hi'n anodd dangos diddordeb. Roedd y gwesty yng nghanol theatrau mawr y ddinas a'r lle'n berwi o bobol. Wedi llyncu paned a chlamp o deisen siocled, dyma'i throi hi am y gwely achos roedd angen codi'n wirion o gynnar eto yn y bore i ddal awyren i Bariloche.

Er bod yr awyren honno'n llawer llai na'r un cynt, roedd y siwrne'n esmwyth. Mi ges sedd wrth y ffenest am y tro cynta, a rhyfeddu at y golygfeydd o'r Andes yn y pellter. Roedd y maes awyr fel petai yng nghanol nunlle – dim ond bryniau ac anialwch o'i gwmpas.

Fues i rioed mor falch o weld Elvey MacDonald yn fy myw, a chydag o roedd gwraig o'r enw Marli Puw oedd â llond ceg o Gymraeg yn acen Patagonia. Cyrraedd y gwesty cyn pen dim, a chyfarfod gweddill y criw: dau gwpwl o ardal Penllyn (Gwen a Hywel, a Rhian a Gwil), Tomos Glyndwr Owen o'r Cymoedd, a Delyth, gwraig Elvey. Ar ôl brecwast mi gerddais i lawr dre i weld yr eglwys hardd oedd gerllaw, i roi gair o ddiolch i Dduw mod i wedi cyrraedd yn saff heb i'r un o'r awyrennau grasho! Erbyn hyn, ro'n i'n teimlo y gallwn i goncro'r byd.

Cyn pen dim ro'n i wedi ymgartrefu efo nheulu bach newydd yn y bws mini, ac yn teithio tuag at Esquel. Cefndir amaethyddol oedd gan y ddau gwpwl o Benllyn, a Tomos yn dod o gefndir glofaol y de. Hogyn ifanc wyth ar hugain oed, llawn direidi a hiwmor oedd Tomos, a doedd 'na'm stop ar ei ddywediadau ffraeth a digri. Roedd yr hanesion a glywodd am ddiwydiant a diwylliant ei fro yn amlwg wedi dylanwadu'n drwm arno.

Wna i mo'ch diflasu chi'n rhestru popeth a welais i ar y daith, ond roedd cyfarfod yr holl Gymry yn Nhrevelin a Chwm Hyfryd yn bleser pur. Fel llawer Cymro arall a wnaeth y daith honno o mlaen i, wnes i ddim mwynhau'r deuddeg awr roedd hi'n ei gymryd i groesi'r Paith: roedd hi fel teithio dros Fynydd Hiraethog filoedd o weithiau ond bod y ffordd yn hollol syth ac yn ymestyn cyn belled ag y gwelach chi. Er, rhaid dweud bod mynd trwy Ddyffryn yr Allorau a'i greigiau anferth yn dipyn o brofiad. Braf oedd cyrraedd y Gaiman a chael dadbacio yng ngwesty Tŷ Gwyn, cyn mynd am bryd o fwyd i dafarn Gwalia Lân a chyfarfod mwy o bobol oedd yn siarad Cymraeg yno.

Roedd yn rhaid codi'n gynnar y bore wedyn i fynd i'r Orsedd. Roedd rhyw wraig wedi fy sicrhau y byddai gwisg wen ar fy nghyfer i. Erbyn deall, roedd pawb arall mewn clogyn glas a finna fel rhyw Arab yn y goban wen laes. Roedd rhaid gorymdeithio trwy'r dre i gylch yr Orsedd yn un rhes y tu ôl i ddau ŵr smart oedd ar y blaen ar gefn ceffylau'n cario baneri'r Ariannin a Chymru. Ro'n i'n cerdded y tu ôl i'r Archdderwyddes (a oedd wedi colli'i llais, gyda llaw – anfantais go arw). Ar ôl canu anthem yr Ariannin a oedd yn para am hydoedd, ro'n i'n teimlo fel rhyw ddafad golledig gan na wyddwn i ble i fynd. Ond dilyn y criw yn y clogynnau glas wnes i, ac eistedd yn eu canol fel rhyw bloryn mawr gwyn.

Mi sylwais fod criw côr Taith i'r Paith o Langwm wedi cyrraedd erbyn hyn, a phawb yn tynnu lluniau wrth weld Tegid a Nant Roberts o Benisarwaun ac Eseias, Dysgwr y Flwyddyn, ymysg eraill a oedd yn cael eu derbyn i'r Orsedd. Dyma'r tro cynta i mi fwynhau'r ddawns flodau erioed gan fod y cyfeiliant mor wefreiddiol gan Hector MacDonald, y cerddor gwych. Paned a chacen yn y capel i gloi'r cyfan, cyn mynd ar ein taith eto i weld mwy o ryfeddodau'r ardal. Roedd rhyw gynnwrf mawr, a phawb yn edrych ymlaen at yr eisteddfod ddiwedd yr wythnos.

Fore Gwener yr eisteddfod, mi gawsom fynd i weld y pengwiniaid yn Punta Tombo, a rhuthro'n ôl wedyn er mwyn i mi gael paratoi ac edrych dros y copïau oedd newydd ddod i'm llaw ar gyfer cystadlaethau'r nos. Roedd hi'n daith ugain munud i Dre-lew, lle roedd yr eisteddfod yn cael ei chynnal mewn rhyw fath o neuadd neu gampfa anferth. Roedd bwrdd hir ar gyfer yr holl feirniaid, a chyfieithydd yr un ar ein cyfer.

Dechreuodd yr eisteddfod gyda chyflwyniad bywiog gan bobol ifanc yn clocsio, a Phedwarawd Patagonia'n canu dan ofal Hector MacDonald. Yna aed at y cystadlu, ac roedd yn rhaid i mi fod yn gyflym yn sgwennu fy sylwadau gan fod angen i'r cyfieithydd eu trosi i'r Sbaeneg. Pan oedd hi'n dro i mi roi fy meirniadaeth doedd dim gofyn mynd ar y llwyfan, dim ond darllen fy sylwadau o'm sedd i feicroffon, a chamera wedyn yn taflu fy llun ar sgrin anferth er mwyn i bawb glywed a gweld – yna'r cyfieithydd yn darllen y feirniadaeth yn Sbaeneg.

Roedd cystadlaethau Sbaeneg am yn ail â rhai Cymraeg, ac roedd hi'n ddiddorol gweld pa mor ddramatig oedd y llefaru yn Sbaeneg. Roedd safon y canu'n ardderchog, gydag Edith MacDonald yn arwain sawl parti a Marli Puw hefyd yn arwain côr. Wrth gwrs, roedd côr Taith i'r Paith yno hefyd, yn ogystal â chriw ifanc o fudiad yr Urdd oedd ar ymweliad â'r wlad. Roedd y cystadlu'n safonol, a daeth y cyfan i ben tua hanner nos.

Diolch byth, roedd gen i fore Sadwrn rhydd, ac felly roedd cyfle i edrych dros y darnau prawf ar gyfer ail ran yr eisteddfod yn y pnawn. Llyncu stecen yn Gwalia Lân cyn teithio i Dre-lew eto am ddiwrnod o feirniadu. Roedd seremoni cadeirio'r bardd yn gynnar yn y pnawn, a chriw

Llangwm wedi gwirioni pan gododd aelod o'u côr ar ei draed, sef Gwynedd Hughes Jones, i dderbyn y gadair. Bu'n rhaid iddo fynd adra hebddi, wrth gwrs. Sgwn i ydi hi wedi cyrraedd Penllyn erbyn hyn?

Roedd cystadlaethau difyr ac amrywiol yn y ddwy iaith trwy gydol y pnawn a'r nos Sadwrn. Anghofia i byth glywed merch o'r enw Ceren yn canu 'Môr o Gariad', Billy Hughes yn canu 'Sul y Blodau', a Catrin Reynolds o Gymru yn canu 'Tydi a Roddaist'.

Roedd beirniad arall yn gofalu am yr eitemau trwy gyfrwng y Sbaeneg, felly ro'n i'n cael eistedd yn ôl a mwynhau'r wledd gerddorol. Roedd nifer fawr yn cystadlu ar y gân ysgafn Sbaeneg; roedd y safon yn anhygoel a'r gerddoriaeth yn wych. Cystadleuaeth ddiddorol arall oedd y Gân Actol, gyda thri grŵp yn cystadlu. Roedd y criw cynta o Esquel wedi defnyddio'r emyn 'Calon Lân' gan newid yr arddull o'i chanu'n glyfar iawn. Wedyn daeth criw Taith i'r Paith ymlaen gyda chyflwyniad digri iawn, lle roedden nhw'n trio siarad tipyn o Sbaeneg yn acen Llanuwchllyn.

Yn ola daeth criw o Ysgol yr Hendre, Tre-lew, gyda pherfformiad heriol, llawn protest, ynglŷn â chael mwy o arian i ymestyn yr ysgol. I gloi eu perfformiad nhw roedd gŵr oedrannus yn canu 'Anfonaf Angel' mewn arddull Sbaenaidd, a phawb ar y llwyfan yn ymuno efo fo yn y cytgan; roedd hynny'n arbennig o effeithiol. Criw Ysgol yr Hendre aeth â hi, ac roedd eu perfformiad wedi creu cymaint o argraff ar nifer o wahoddedigion pwysig oedd yn digwydd bod yno fel y bu iddyn nhw addo rhoi swm mawr o arian i wireddu breuddwyd yr ysgol. Daeth yr eisteddfod i ben am 1.30 y bore, a 'nôl â ni'n hynod flinedig i'r Gaiman.

Y bore canlynol roedd rhaid mynd i'r Gymanfa yng

Nghapel Bethel, y Gaiman, a hitha'n fore heulog braf a'r capel dan ei sang. Bethan Smallwood oedd yn arwain, a hitha wedi trefnu bod rhai aelodau o'i chôr yn canu ambell bennill yn rhai o'r emynau er mwyn cael amrywiaeth, ond mi suddodd fy nghalon pan ofynnodd hi i mi ganu'r pennill 'Araf iawn wyf fi i ddysgu' ar y dôn 'Rhondda', oedd yn llawer iawn rhy uchel i'm llais i. (Rŵan, dwi'n gwbod na rois i gynta i'r côr y noson cynt, ond nid dyma'r ffordd i nghosbi fi, chwaith!) Mi wnes i ufuddhau, ond fasa neb wedi rhoi gwobr i *mi* am ganu'r bore hwnnw.

Ar ôl y Gymanfa, i ffwrdd â ni i gael *asado* (barbeciw i chi a fi) mewn clamp o gampfa fawr. Yno mi fues i'n sgwrsio efo Hector MacDonald, a chan i mi ddangos diddordeb yn ei waith mi ges wahoddiad i fynd i'w stiwdio gerdd. Roedd hi'n bleser cael gweld y stiwdio a chlywed rhai o'i gyfansoddiadau diweddar. Yn goron ar y cyfan daeth gweddill Pedwarawd Patagonia (neu Hogia'r Wilber, fel maen nhw'n hoffi galw'u hunain) i'r stiwdio i ymarfer at y cyngerdd y noson honno. Mi ges wledd yn gwrando arnyn nhw gyda'u lleisiau melfedaidd yn canu mor ddi-lol mewn harmonïau clòs.

Ar ôl y cyngerdd, mynd yn ôl i'n gwesty i gael te – ia, te bach am wyth y nos. Roedd llond bwrdd hir o debotiau mewn cotiau bach gwlân, a brechdanau a chacennau di-ri'n aros amdanon ni, a mwy o bobol i'w cyfarfod. Mi fuon ni'n siarad am oriau.

Deuddydd arall wedyn o weld y wlad i lawr yn ardal Porth Madryn, ac yna pacio a gadael gwesty'r Tŷ Gwyn. Cyn gadael, roedd angen arwyddo llyfr y gwesteion, a chwarae teg iddo fo, mi ddwedodd Tomos ei fod o wedi llofnodi ar fy rhan i gan mod i'n straffaglio efo'm cês. Mi ges gip ar y llyfr cyn gadael a gweld be oedd o wedi'i roi gyferbyn â'i enw yn y golofn swydd – *Male Stripper*. Gyferbyn â f'enw i roedd o wedi sgwennu *Professional Assassin*! Wn i ddim be oedd pobol y gwesty'n ei feddwl, ond dyna ddireidi Tomos unwaith eto. Wrth ffarwelio ag o ar ddiwedd y daith, mi ddwedodd wrtha i: 'Rhaid i ti fynd i weld seicaiatrist wedi 'ti fynd adre, achos ti'n mentali scârd ffôr laiff ar ôl bod yn 'y nghwmni i.' Un digri oedd o!

Ar ôl hedfan o Dre-lew i Buenos Aires, mynd i aros yn yr un gwesty â chynt yng nghanol prysurdeb y ddinas. Doedd gen i ddim llai nag ofn ar y daith yno wrth weld dwsin o ffyrdd yn mynd i'r un cyfeiriad, a cheir yn gwibio heibio fel petha gwyllt. Roedd hi'n drist edrych i lawr ar y stryd islaw a gweld cynifer o bobol yn begera yno, ac ambell fam ifanc efo'i phlentyn bach a phawb yn ei phasio fel tasa hi ddim yn bod. Ro'n i'n teimlo'n reit euog ac annifyr ym moethusrwydd fy stafell wrth edrych ar realiti'r bywyd islaw.

Wrth adael Buenos Aires mi gawson ni flas ar ddawnsio tango, ymweld â *ranch,* a thaith i weld y fynwent lle mae Eva Perón wedi'i chladdu, cyn ei throi hi am adra. Gyda Chymry'n gwmni y tro hwn, roedd y daith yn haws, ac roedd 'na gyfle i gysgu ar yr awyren.

Er bod fy nghês i wedi mynd ar goll, doedd fawr o ots gen i gan mod i mor falch o gyrraedd Manceinion, a balchach byth o weld Eifion.

Antur enbyd ydoedd hon . . .

Tynnu nyth cacwn yn fy mhen

Ar y cyfan, dwi'n meddwl mod i'n berson eitha tawel a swil, ond dwi'n fodlon rhoi fy marn bob hyn a hyn. Ond wnes i rioed feddwl cymaint o helynt fyddai un frawddeg yn ei achosi wedi imi fod ar raglen *Beti a'i Phobl*.

Sôn ro'n i am gerdd dant yn gyffredinol, ac mi ofynnodd Beti i mi beth oedd fy marn i am rai sy'n dysgu Cymraeg fel ail iaith yn troi at y grefft. Yr hyn a ddaeth i ngho' i'n syth oedd clywed parti o ddysgwyr ar lwyfan Steddfod Genedlaethol yr Urdd ym Môn ychydig o flynyddoedd ynghynt, ac ambell barti arall dwi wedi'i feirniadu o bryd i'w gilydd oedd yn gwneud llanast llwyr o'r grefft. Mi ddwedais yn blwmp ac yn blaen mod i'n meddwl bod llawer yn 'mwrdro'r grefft', ond ar raglen fel hon, doedd dim modd ymhelaethu mwy i gyfiawnhau fy ateb.

Ar ôl i'r rhaglen fod ar yr awyr mi ges neges gan Rhys, y mab, yn dweud fod pobol yn trydar ac yn fy lambastio am ddweud y ffasiwn beth. Mi fuo 'na sawl llythyr yng nghylchgrawn *Golwg* yn dweud mod i'n siarad trwy fy het a mod i'n elitaidd, ac mi fu'n destun trafod ar *Taro'r Post* am ddyddiau. O diar, roedd hi'n bryd i mi egluro fy safbwynt yn glir, felly – a dyna wna i rŵan hefyd.

Fel athrawes bro sy'n canolbwyntio bellach ar gefnogi dysgwyr bach Sir Ddinbych, mi fydda i bob blwyddyn yn cynnal cwrs i hyfforddi athrawon cynradd sut i baratoi plant ar gyfer y gystadleuaeth Parti Cerdd Dant i Ddysgwyr yn Steddfod yr Urdd. Mi fydda i'n creu gosodiad iddyn nhw, yn cyfieithu'r darn gosod, yn gwneud CD i'w cynorthwyo i ynganu'r geiriau, ac yn cynnig cymorth penodol wrth iddyn nhw ymarfer yn eu hysgolion.

Dwi'n credu bod angen i unrhyw un sy'n cystadlu mewn unrhyw gystadleuaeth fod wedi cael profiad sylweddol o'r grefft y maen nhw'n ei hymarfer cyn ymddangos ar lwyfan cenedlaethol, boed y grefft honno'n ganu, llefaru, dawnsio neu gerdd dant. Ar hyn o bryd, dydi'r profiad yna ddim ar gael i ddysgwyr ym maes cerdd dant. Mae 'na gystadlaethau unigol iaith gynta i bob oedran, ond does dim byd ar gael i ddysgwyr. Sut, felly, mae disgwyl iddyn nhw gydsymud a chydynganu yn griw niferus, a hwythau'n ddibrofiad? Heb y cefndir a'r cyfle unigol i ymarfer y grefft a thrwy hynny ddod yn brofiadol, dydi hi'n syndod yn y byd fod partïon yn 'mwrdro'r grefft'. Taswn i'n trio cyflwyno dawns y glocsen ar lwyfan, mwrdro'r grefft fyddwn inna hefyd.

Gan fod cystadlaethau llefaru unigol i ddysgwyr o bob oed, pam lai cerdd a cherdd dant hefyd? Mae angen i'n dysgwyr ifanc ni gael cyfle i fireinio pob crefft cyn eu taflu ar lwyfan mawr i gystadlu mewn un gystadleuaeth yn unig ar gyfer partïon.

Cefnogi'r dysgwyr ydw i, a'u llongyfarch nhw'n fawr pan maen nhw'n llwyddo i feistroli'r iaith.

Eisteddfod Genedlaethol 2013

Ydi, mae hi ar ei ffordd yma eto! Wrth sgwennu'r geiriau yma, dwi'n gwbod bod 'na bedwar mis prysur iawn o mlaen i o hyn tan Awst, a ninna yn yr ardal yma'n edrych ymlaen unwaith eto, yng ngeiriau John Glyn, i weld 'llwyn a maes yn llawn miwsig'. Hon fydd yr Eisteddfod ola i Hywel Wyn Edwards ei threfnu, felly pob dymuniad da iddo a diolch am ei holl waith dros y blynyddoedd.

Mae deuddeng mlynedd ers i'r Brifwyl fod yn Ninbych o'r blaen, ond mae'n teimlo fel ddoe. Os ca' i iechyd, mi fydda i'r tro yma'n hyfforddi côr o ferched ifanc y sir i ganu caneuon Robat Arwyn ar gyfer y cyngerdd agoriadol, ac yn hyfforddi Enfys ar gyfer y gwasanaeth fore Sul a'r cyngerdd i ddathlu hanner canrif o ganu Hogia'r Wyddfa. Bydd Parti Dyffryn Clwyd yn canu yn seremoni Gwobr Goffa Daniel Owen, ac yn cystadlu hefyd, wrth gwrs. Yna bydd Côr

Lleisiau'r Nant yn cystadlu ddiwedd yr wythnos. Bydd y tŷ 'ma'n fwrlwm o ganu o hyn tan fis Awst, gyda phlant a phobol ifanc yn mynd a dod fel morgrug.

Dwi'n falch mai John Glyn fydd yn ein harwain fel Cadeirydd y Pwyllgor Gwaith yng nghanol yr holl waith paratoi. Yr unig chwithdod ydi na fydd Helen wrth ei ochor ar y llwyfan pan ddaw Awst, gan iddi'n gadael mor ddisymwth yn Hydref 2011:

> Colli haul yw colli Helen: aelwyd
> a theulu heb seren;
>   tref oer heb lewyrch lloeren
> a byd o olau ar ben.

Mi fyddai hi wedi bod wrth ei bodd eleni, ac yn falch o Glyn. Ond mi fydd Dyffryn Clwyd i gyd yn gefn iddo fo – a'i holl ffrindia a'i deulu, mae hynny'n sicr.

Yn ôl at y teulu

Mam a Richard

Erbyn hyn mae Mam yn 93 oed, ac wedi cael iechyd da ar hyd ei hoes heblaw am un cyfnod pan gafodd hi'r pliwrisi yn ei hugeiniau cynnar. Dwi'n cofio'r trefnu mawr a fu yn y dirgel i ddathlu ei phen-blwydd yn 90 oed yn ysgol fach Rhosmeirch. Doedd hi ddim yn disgwyl y parti na'r criw mawr o dros gant o deulu a ffrindia oedd wedi ymgynnull yno. Roedd hi wedi gwirioni!

Mi genais i englynion 'Mam' gan Robin Llwyd ab Owain iddi, ac wedyn mi ymunodd Angharad ac Elysteg efo fi i ganu geiriau roedd Eifion wedi'u llunio ar ei chyfer – 'Bet yn Crwydro' – cyn cyflwyno'r englyn yma iddi:

I Nain, sy rioed yn *ninety*!

Mae hi'n dal ym Man Dela – yn naw deg,
    pan nad yw'n cymowta;
    a'i gwên yn dal mor smala;
    hi yw'n hanes, ddynes dda.

Dau beth sy'n gwneud Mam yn hapus: sgwrsio a chrwydro. Dydi hi ddim yn hoffi bod ar ei phen ei hun, nac yn styc yn y tŷ. Tan yn eitha diweddar roedd hi'n gyrru yma i Brion, yn ei nawdegau, ac yn mwynhau bod yn annibynnol. Ond, yn anffodus, oherwydd nad ydi'i golwg na'i chlyw hi cystal ag y buon nhw, mae hi wedi gorfod rhoi'r hen gar bach i orffwys, ac mae hyn wedi bod yn siom fawr iddi.

Mae Mam fel brenhines ym mhentre bach Rhosmeirch, a chanddi lu o ffrindia a theulu o'i chwmpas sy'n hynod garedig wrthi. Erbyn hyn, mae hi'n nain i chwech ac yn hen nain i chwech arall. Mae'n ifanc ei ffordd, ac wrth ei bodd yn dod efo fi i'r Steddfod Genedlaethol bob blwyddyn, er bod crwydro'r maes yn mynd yn anoddach iddi bob tro. Mae'n selog yn ei chapel ac wedi derbyn y Fedal Gee sawl blwyddyn yn ôl, bellach, am ei ffyddlondeb i'r ysgol Sul. Mae hi hefyd yn dal i fwynhau mynd i'r cymanfaoedd canu sy mor boblogaidd ag erioed ar Ynys Môn.

Mae Richard a'i wraig, Alwena, yn dal i fyw yn Rhosmeirch, a'r ddau yn ofalus tu hwnt o Mam. Dwi ddim yn meddwl y gallai Mam fod wedi cael gwell merch-yng-nghyfraith nag Alwena – yn wir, mae hi fel chwaer i mi.

Maen nhw wedi magu dau o blant, Irfon a Bethan – nhwytha wedi priodi erbyn hyn. Mae Irfon a'i wraig, Vicky, yn byw yn Swindon gyda'u dau fab, William a Mathew. Merch fach – Lois – sy gan Bethan a'i gŵr, Dylan, ac maen nhw'n byw yn Llangefni ar hyn o bryd.

Mae Richard mor brysur ag erioed, er ei fod wedi ymddeol o fod yn ddirprwy brifathro Ysgol Uwchradd Caergybi ers rhai blynyddoedd. Erbyn hyn, mae o'n un o brif arholwyr Mathemateg CBAC, ac yn mwynhau bod yn brysur fel finna!

Y teulu'n tyfu

Dyma gyfle rŵan i mi frolio fy nheulu bach. Os na wna i, pwy wnaiff?

Mae Eifion a finna wedi bod mor lwcus o'n plant: Angharad, Elysteg, Ynyr a Rhys – y pedwar wedi dod â blynyddoedd o foddhad i ni, a'n gwneud mor falch ohonyn nhw.

O ran steddfota, mae'n debyg mai ennill Gwobr Goffa Llwyd o'r Bryn (y brif wobr i adroddwyr/llefarwyr yn y Brifwyl) yn 1998 oedd uchafbwynt y cystadlu i Angharad, tra oedd Elysteg yn giamstar am wneud i bobol chwerthin pan oedd hi'n iau ac mi enillodd hitha yn y Genedlaethol am lefaru digri. Pan oedd Elysteg ym Mhrifysgol Bangor roedd hi wedi addasu'r llyfr doniol *'Sna'm Dianc i'w Gael* gan Margiad Roberts fel monolog; cafodd hwyl ar ei berfformio yno, ac fe roddodd berfformiad arall yn Theatr Twm o'r Nant a rhoi elw'r noson i Dŷ Gobaith.

Roedd y ddwy wedi priodi o fewn blwyddyn i'w gilydd – 'o bobtu cwymp y dail', yng ngeiriau eu tad – a'r naill yn forwyn ym mhriodas y llall:

> Dwy hogan fach mewn priodas floda ddoe
> yn gwneud go iawn o bobtu cwymp y dail;
> dwy fach oedd gyda'r gora am wneud sioe
> a gwisgo i fyny i blesio bob yn ail
> yn rhannu holl ddarparu'r diwrnod mawr
> fel morwyn a phriodasferch yn eu tro,
> gan hanner ofni'u dwy mai dyma awr
> gwahanu'r cwlwm cynnar, datod clo
> plentyndod er mwyn dechrau gweddill oes
> y ddwy â'r ddau sy am rannu'r antur hon
> mewn awel dyner ac mewn gwyntoedd croes,
> ar hyd hen lwybrau fydd yn newydd sbon;
> a ninnau, wrth ddymuno gwyn eu byd,
> ddim eisiau llacio'n gafael yr un pryd.

Mae Angharad yn actores yn y gyfres *Rownd a Rownd* er 1997, pan oedd hi'n dechrau ym Mhrifysgol Mangor. Bu'n ffodus iddi fedru cyfuno'r swydd â chael gradd dosbarth cynta yn y coleg, ac mae'n dal i actio rhan 'Sophie' ar hyn o bryd. Mae'n briod â Dafydd Beech o Blas yn Iâl, Bryneglwys, ac maen nhw'n byw ym Methesda gyda'u dau o blant, Gwenno a Gruffudd, sy'n werth y byd yn grwn. Hwyrach ei bod hi'n werth nodi yma fod Angharad a Dafydd yn credu mewn creu babis anferth, gan fod Gwenno'n pwyso 9 pwys 12 owns a Gruff yn pwyso 11 pwys 9 owns pan gyrhaeddon nhw!

Roedd Gwenno i fod i landio ar y 14eg o Hydref 2009, ddiwrnod ar ôl penblwyddi Eifion a finna, ac roeddan ni'n gobeithio'r gora am gyd-ddigwyddiad arall pan fu raid i Angharad fynd i mewn ganol dydd y 13eg. Ond er disgwyl yn eiddgar trwy'r nos, ar ei diwrnod iawn y cyrhaeddodd Gwenno:

> Noson pen-blwydd oedd honno – yn ein tŷ:
>   Nain a Taid llawn cyffro'n
> disgwyl Dad, a'i alwad o
> y ganwyd i ni Gwenno.

A hithau bellach yn dair oed, mae hi'n un sgwrslyd iawn yn union fel roedd ei mam, ac yn llawn dychymyg. Y diwrnod o'r blaen gofynnodd i mi chwarae 'Dwi'n gweld efo'm llygaid bach i' efo hi. 'Iawn, cychwynna di,' medda fi wrthi. 'Dwi'n gweld efo'm llygaid bach i rwbath yn dechra efo B,' medda hi. Mi restrais i nifer o betha: blodyn, buwch, bara, bys – pob cynnig yn anghywir. 'O diar, dwed ti wrth Nain be ydio ta,' medda fi. 'Sosej,' medda hitha!

Ar ddiwrnod etholiad y Cynulliad, y 5ed o Fai 2011, ac Eifion yn ei chanol hi fel ymgeisydd unwaith eto, y landiodd ei brawd bach (mawr) hi:

> Yng nghanol dydd etholiad – a'i graffu,
>   am Gruffudd mae'r alwad:
>   clamp o hogyn, dyn fel Dad;
>   ein hŵyr, a mab Angharad.

Mae Elysteg, neu Lel fel y byddwn ni'n ei galw, wedi mynd i fyd addysg fel finna, ac yn athrawes Gymraeg yn Ysgol Uwchradd Eirias ym Mae Colwyn. Dwi'n ei hedmygu hi'n fawr gan y gwn yn iawn nad ydi dysgu Cymraeg ail iaith mewn ysgol uwchradd yn dasg hawdd o gwbl. Mae hi a'i gŵr, Clive Thomas, yn byw yn Nhal-y-sarn, Dyffryn Nantlle – y pentre lle magwyd Clive – ac mae ganddyn nhw un hogyn bach, Llŷr, sy'n gariad bob tamaid. Cafodd Elysteg, druan, gryn drafferth wrth ei eni ac mae hi'n lwcus o fod yn dal efo ni. Fe barodd y geni ddiwrnodau maith nes iddyn nhw fodloni i roi Caesarean iddi yn y diwedd. Bu raid iddi gael triniaeth frys ar ôl y geni, ac roedd yn gyfnod pryderus inni i gyd.

> Rhodd Lel a Cleif i Eifion – a Leah
>   i leddfu'u pryderon:
>   o eni Llŷr, try'r lleddf yn llon,
>   fo yw allwedd Afallon.

Mae Ynyr wedi dilyn gyrfa gerddorol, gan raddio ym Mhrifysgol Bangor ac yna cael gradd Meistr am gyfansoddi. Erbyn hyn mae ganddo'i gwmni ei hun, Ystrad Music, ac mae'n brysur yn cyfansoddi ar gyfer gwahanol achlysuron. Ers haf 2009 mae o wedi bod yn canu efo grŵp yn Bolton o'r enw The Right Stuff, ac wedi cael cyfle i weld y byd yn sgil hynny. Bu'n canu efo nhw ar fordeithiau llong bleser yn y Caribî am dri mis, yna ym Môr y Canoldir am ddeufis, gan orffen gyda mis arall o amgylch Sgandinafia. Mae'n dal i ganu efo The Right Stuff bron bob penwythnos, yn Lloegr yn benna. Mae o'n canu yn Gymraeg hefyd, wrth gwrs – fel unawdydd – ac wedi rhyddhau dwy CD, ond prin iawn ydi'r gwaith yma yng Nghymru, yn anffodus. Yn ddiweddar mae o wedi cael pleser yn cynnal gweithdai cyfansoddi mewn ysgolion cynradd gan annog plant i gyfansoddi eu halawon eu hunain. Erbyn hyn, mae'n rhannu'i amser rhwng Prion a Bolton.

Adeg gradd gynta Ynyr y sgwennodd Eifion yr englyn canlynol, gan ddefnyddio'r ymadrodd y byddai ei chwiorydd yn ei ddefnyddio amdano fo:

> 'Yns, bocha byns' fel y bu, – hoff o'i fam,
>   hoff o'i fwyd a'i wely!
> 'Ynyr Llwyd, cerddor' i'r llu –
> Eilun am byth i'w deulu.

Pêl-droed âi â bryd Rhys yn gynnar iawn yn Ysgol Twm o'r Nant. Roedd Elis Jones y prifathro'n gofalu bod digon o sylw i chwaraeon ar yr amserlen. Byddai Rhys wrth ei fodd hefyd yn mynd i'r *mini football* bob bore Sadwrn dan ofal diflino Stan Roberts. Yn ddeg oed cafodd fynd i Academi Wrecsam i'w hyfforddi, a theithio yno efo fo y buon ni nes ei fod o'n ddwy ar bymtheg. Mi fyddwn i neu Eifion yn ei ddanfon i Wrecsam ddwywaith yr wythnos i ymarfer, ac yna teithio ein dau i wahanol lefydd yn Lloegr ar fore Sul i'w weld yn chwarae. Cafodd ddau gap i Gymru wrth chwarae gyda'r tîm dan 16 ac 17 oed – yr un pryd ag Aaron Ramsey!

Daeth y diweddar sgowt o Gymro 'Huw Man U' (Huw

Roberts o'r Groeslon) acw un tro a chynnig iddo gael mynd i hyfforddi efo hogia ifanc Manchester United, ond mi fyddai'n rhaid iddo letya yno efo rhyw deulu a chael ei addysg yn Saesneg. Roedd Rhys wrth ei fodd efo'i ffrindia yn Ysgol Glan Clwyd ac am aros yno. Cafodd gynnig wedyn yn 17 oed i arwyddo i Wrecsam ond roedd o â'i fryd ar fynd i'r brifysgol. Fo'i hun wnaeth y dewis bob tro, ac er bod Eifion yn reit siomedig roeddan ni'n llwyr gytuno efo fo. Felly mi ffarweliodd â dyfodol ym myd pêl-droed proffesiynol, a mynd i Aberystwyth i astudio Theatr, Ffilm a Theledu.

Erbyn hyn mae o wedi bod yn ddigon lwcus i gael cyfuno'i bêl-droed â'r hyn a ddysgodd yn Aber wrth gael swydd yn y byd teledu fel rhan o dîm cynhyrchu'r gyfres *Sgorio*, ac mae o wrth ei fodd. Dwi'n falch o ddweud hefyd ei fod o wedi ailafael yn y canu, ac yn cyfansoddi ar gyfer y ddeuawd gyfoes mae o'n rhan ohoni efo Aled Owen, Croenllwm (mab Carol, un o nisgyblion canu cynnar i yn Nyffryn Clwyd).

Adeg ei ben-blwydd yn ddeunaw y cafodd Rhys yr englyn yma:

> Dewin wrth drin y bêl-droed, – ond ei gân?
> Udo gwyllt i'n henoed!
> Â'i afiaith, eilun cyfoed,
> A'n heiddo ni'n ddeunaw oed.

Pan fydd y plant a'u teuluoedd yn dod adra efo'i gilydd, mae hi fel ffair yma, ond mae'n braf eistedd yn ôl a gwrando arnyn nhw i gyd yn sgwrsio, mwydro a thynnu coes.

Ychydig is na'r angylion!

O na, doeddan nhw ddim yn angylion o bell ffordd. Felly, ar ôl y brolio, dyma ambell hanesyn gwahanol am y pedwar . . .

Mi aeth Angharad i helynt yn ei blwyddyn gynta yn y coleg. Yn hwyr un noson, roedd hi wedi trio helpu rhyw hogan oedd yn cael ei llusgo ar y palmant, ac fe aeth at blismon i dynnu ei sylw at yr hyn oedd yn digwydd. Sais oedd y plismon; mi wrthododd Angharad siarad Saesneg efo fo, a chafodd ei harestio am weiddi arno yn Gymraeg. Mae'n debyg bod gan y lemonêd cryf rywbeth i'w wneud â'r digwyddiad, hefyd! Mi gawson ni alwad ffôn ddagreuol ganddi ganol nos yn dweud ei bod hi yn swyddfa'r heddlu yng Nghaernarfon. Cafodd ei chadw yno tan y bore pan aeth ei ffrindia i'w nôl. Wrth gwrs, mi fuodd 'na achos llys, a hynny ar ddiwrnod pen-blwydd Eifion a fi – ac Eifion yn hanner cant y diwrnod hwnnw. Diolch i gefnogaeth wych Nic Parry fel cyfreithiwr, daeth allan ohoni'n well na'r disgwyl. Wnaiff hi byth weiddi ar blismon eto!

Hogan ddireidus iawn oedd Elysteg pan oedd hi'n fach, wrth ei bodd yn dynwared ac yn actio'n wirion. Hi, yn wir, oedd clown y teulu, wastad yn ein diddori. Ond fe aeth hithau i drafferth yn Ysgol Twm o'r Nant unwaith neu ddwy. Roedd hi wedi mynd i chwarae efo'i ffrindiau i'r stordy pan ddaeth Mr Jones yno i'w hel nhw allan. Fel roedd Elis yn troi ei gefn, fe gododd Elysteg ddau fys arno, ond mi gafodd gopsan – a choblyn o ffrae, wrth gwrs. Mi ddwedodd Elis wrthi y byddai'n fy ffonio i adra i adrodd yr hanes, a dyna'n union be wnaeth o. Cafodd Elysteg bregeth arall, wrth gwrs, ar ôl dod adra, a dwi ddim yn meddwl iddi hitha ailadrodd yr ystum hwnnw byth wedyn, chwaith.

Mae Ynyr wedi gwneud sawl peth gwirion yn ei ddydd hefyd. Dwi'n cofio cyrraedd adra un tro a gweld nodyn ganddo ar ochr allan y drws, yn dweud fel hyn: 'Wedi cloi'r drws, mae'r goriad dan y garreg, a tydw i ddim wedi rhoi'r larwm ymlaen.' Dyna ichi wahoddiad agored i leidr os buo 'na un erioed! A phan oedd o tua pedair ar ddeg, mi ges alwad o Ysgol Glan Clwyd yn dweud ei fod o wedi mynd ar ei ben trwy ffenest yr Ystafell Gymraeg. Y diwrnod arbennig hwnnw roedd ei ddosbarth o'n casglu arian at elusen trwy lafnrolio neu reidio sgwter o amgylch y neuadd chwaraeon. Roedd yr athro wedi'u siarsio i adael yr offer i gyd yn y neuadd amser egwyl ac i beidio mynd â nhw allan, ond roedd un o griw Ynyr wedi mynd â'i sgwter allan yn slei er mwyn i bawb gael tro arno i lawr y llethrau. Fu gan Ynyr erioed sgwter, felly pan gafodd o dro, doedd o ddim yn gwybod sut i'w stopio mewn pryd. Ar ei ben yr aeth o trwy ffenest yr Ystafell Gymraeg a'i malu'n deilchion. Mi fu'n rhaid talu am drwsio'r ffenest, wrth reswm, ond roedd o'n lwcus na wnaeth o niwed mawr iddo'i hun.

Dydi Rhys ddim wedi rhoi llawer o drafferth i ni, heblaw am yr achlysur pan dorrodd oriad y garafán yn ystod wsnos y Steddfod. Rhyw saith oed oedd o ar y pryd, ac yn cael mynd a dod fel y mynnai o'r maes carafannau i'r Maes. Ro'n i wastad wedi teimlo bod y plant yn ddiogel ar faes y Steddfod, ac yn hapus i adael iddyn nhw fynd a dod fel y mynnent. Roedd hi'n well gan Rhys chwarae pêl-droed efo ffrindia newydd wrth y garafán na llusgo efo fi i ragbrofion beth bynnag. Ond o gil fy llygad un pnawn, be welwn i ond lliw tin Rhys yn rhedeg fel milgi rownd y pafiliwn ar ei ben ei hun. Mi redais ar ei ôl o gan weiddi arno i stopio, ond dal i fynd wnaeth o. Wedi i mi ei ddal o a gofyn be oedd yn bod, ddwedodd o ddim byd o gwbl, dim ond ei fod o'n hoffi rhedeg yn gyflym. Dyna od, meddyliais inna.

Roedd o'n dawel iawn wrth i ni gyrraedd y garafán ar ddiwedd y dydd, a gofynnais iddo ble roedd y goriad. Aeth ei wyneb bach yn goch, ond mynnodd ei fod wedi'i roi o lle roeddan ni wedi'i drefnu. Ar ôl chwilio ym mhobman heb unrhyw lwc, bu raid i mi ei wthio fo trwy'r ffenest i agor y drws inni o'r tu mewn. Cyn iddo fo fynd i'w wely'r noson honno, mi ddechreuais i amau fod gan Elysteg rywbeth i'w wneud â diflaniad y goriad, ac mi ddechreuais ei holi hi. Pan sylweddolodd Rhys fod ei chwaer ar fin cael bai ar gam mi gyfaddefodd mai fo oedd wedi torri'r goriad, ac wedi poeni cymaint lle roeddan ni am gysgu'r noson honno – 'y ngwas i – fel mai dim ond rhedeg fedra fo wneud!

Wnaeth o rioed faddau i mi am wneud iddo gystadlu ar y cornet yn Steddfod yr Urdd yn 2002. Rhyw gwta ddwy flynedd yn unig roedd o wedi bod wrthi'n dysgu chwarae'r offeryn, ond gan mai dim ond y fo oedd yn ymgeisio yn y sir o dan ddeuddeg oed, mi gafodd fynd ymlaen i'r Genedlaethol. Mi fasa wedi bod yn garedicach iddo tasa'r beirniad heb ei yrru mlaen. Ond mi wnes inna'i annog i ddal ati, felly i ffwrdd â ni am Gaerdydd.

Yn y rhagbrawf roedd y safon yn wirioneddol uchel, ac fe welwn ar wyneb Rhys y basa fo'n licio gwneud y tric rhedeg unwaith eto. 'Paid poeni,' medda finna, 'gwna dy ora, dyna i gyd.' Daeth ei dro i gystadlu, ac fe ddechreuodd chwythu nes roedd ei focha bach o'n biws. Daeth pob math o synau rhyfedd allan o'r offeryn, ac roedd ei lygaid wedi dechrau mynd yn groes. Daeth yr artaith i ben a'r cyfan ddwedodd o oedd: 'Tyd o 'ma reit handi; dwi byth am neud hynna eto!' Mi gofia i hyd heddiw unig eiriau'r beirniad, Geraint Jones o Drefor, ar y ffurflen feirniadaeth: 'Daw eto haul ar fryn'.

Ar ei ddiwrnod ola yn Ysgol Glan Clwyd yr aeth Rhys i drafferthion. Roedd tri ohonyn nhw wedi penderfynu gwneud tipyn o helynt cyn gadael. Mi newidion nhw'r arwydd ar yr ystafell Technoleg i Rhechnoleg, yn ogystal â nifer o newidiadau anweddus eraill i arwyddion na fedra i mo'u rhestru nhw yma. Bu raid i'r tri sefyll y tu allan i stafell y prifathro trwy'r pnawn – hogia drwg!

Eifion

Mae gan Tudur Hughes Jones gân o'r enw 'Fy Angor I'. Wel, heb os nac oni bai, mae Eifion wedi bod yn angor i mi ar hyd y daith, trwy'r drwg a'r da. Faswn i ddim wedi dymuno gwell gŵr, a faswn i ddim wedi cyflawni'r hyn rydw i wedi'i gyflawni heb ei gefnogaeth o.

Pan o'n i'n dathlu fy mhen-blwydd yn hanner cant, a fynta'n dal i sgwennu geiriau caneuon i mi, mi ges i hwn:

> Fy nghariad, mae fy ngeiria – i'w rhannu
> â'r eneth anwyla
> a'i halawon, fy Leah:
> fy nghraig o ddur, fy ngwraig dda.

Pwy arall fasa'n cael englyn ac ambarél yn anrheg i ddathlu'r hanner canrif, yntê? Taswn i'n fardd mi faswn inna'n sgwennu cerdd iddo fo, ond fedra i ddim, yn anffodus – dim ond diolch am yr holl gariad a gofal tyner mae o wedi'i rannu efo fi dros y blynyddoedd.

Mae o'n dal i weithio'n rhan amser i'r Coleg Cymraeg Cenedlaethol, yn hyfforddi a chefnogi darlithwyr ifanc newydd. Ar wahân i bwyllgora yn aml efo'r Steddfod Genedlaethol, mae o'n mwynhau gweddill ei amser sbâr yn chwarae golff. Yn wir, fo ydi capten Clwb Golff Dinbych eleni, er nad ydi o'n canmol llawer ar ei gêm pan ddaw o adra. Mi driodd 'y nghael i i ymddiddori yn y gêm, ond doedd gen i fawr o glem, na'r amser chwaith.

Mi fyddwn ni wedi bod yn briod ers tri deg wyth o flynyddoedd leni, ac rydan ni'n gwerthfawrogi cwmni a chariad ein gilydd yn fwy fel rydan ni'n mynd yn hŷn. Rhyfedd fel mae cariad yn aeddfedu ac yn dyfnhau.

Pen draw'r twnnel

Dwi'n dechrau gweld goleuni'n sbecian, o'r diwedd, wedi'r cyfnod maith yn sgwennu'r hunangofiant yma. Y broblem ydi, sut mae dod â'r cyfan i ben?

Pan o'n i yn yr ysgol fach yn Rhosmeirch ers talwm, mi oedd 'na hogyn ychydig iau na fi fyddai'n hoff iawn o adrodd straeon o'r frest, ond y broblem oedd na wyddai o sut i ddod â'r stori i ben, ac mi fydda'n mynd ymlaen ac ymlaen nes bydden ni wedi hen laru arno fo. Dwi ddim am i hynny ddigwydd yma, felly rŵan, dyma ddiolch i chi am drafferthu darllen y mymryn hanes hwn, gan obeithio nad ydw i wedi swnio fel taswn i wedi gneud dim ond fy mrolio fy hun!

Dwi'n gobeithio y ca' i iechyd i ddal ati efo'r hyn dwi'n mwynhau ei wneud, ac y bydd y disgyblion dwi wedi'u dysgu, lle bynnag y byddan nhw'n ymgartrefu yn y dyfodol, yn trosglwyddo'u doniau hwythau i'r genhedlaeth nesa, fel y ceisiodd un hogan fach tŷ cownsil o Rosmeirch.